에스페란토 초급 학습후 읽을 책

카를로가 태어나서 결혼할 때까지

에드몽 프리바 지음
오태영 옮김

원서 정보

KARLO

Facila Legolibro por la Lernado de Esperanto

Tria Eldono

Edmond Privat, 1910

카를로가 태어나서 결혼할 때까지

인　쇄 : 2024년 5월 1일 초판 1쇄

발　행 : 2024년 5월 8일 초판 1쇄

지은이 : 에드몽 프리바(EDMOND PRIVAT)

옮긴이 : 오태영(Mateno)

펴낸이 : 오태영(Mateno)

출판사 : 진달래

신고 번호 : 제25100-2020-000085호

신고 일자 : 2020.10.29

주　소 : 서울시 구로구 부일로 985, 101호

전　화 : 02-2688-1561

팩　스 : 0504-200-1561

이메일 : 5morning@naver.com

인쇄소 : TECH D & P(마포구)

값 : 13,000원

ISBN : 979-11-93760-08-6(03790)

에스페란토 초급 학습후 읽을 책

카를로가 태어나서 결혼할 때까지

에드몽 프리바 지음
오태영 옮김

진달래 출판사

Enhavo

차 례

ANTAŬPAROLO DE L' VERKINTO

La "Librairie de l' Esperanto" en Parizo petis min, ke mi verku facilan legolibron por la lernantoj de kursoj aŭ la komencantoj, kiuj ĵus finis sian lernadon en lernolibro. Mi intencis prezenti dudek tekstojn aranĝitajn tiamaniere, ke en ĉiu estos multaj vortoj pri sama temo de l' ĉiutaga vivo. Por pli bone konservi la intereson de la lernanto en dudek ĉapitroj, mi verkis unu rakonton pri la vivo de junulo, de lia infaneco, ĝis lia edziĝo.

Kompreneble nek romano, nek eĉ sprita novelo estas la rakonto, sed nur aro de dudek ĉapitroj pri ĉiutaga vivo, ligitaj inter si per ĝenerala senco kaj unueco de persono. Tamen ion pli ol lernoĉapitrojn eble trovos en tiu ĉi libro tiuj plenaĝaj personoj, por kiuj ekzistas ia poezia ĉarmo en rememoroj pri infaneco kaj juneco eĉ el plej simplaj okazintaĵoj de l' ĉiutaga vivo.

Mi rekomendas al la instruantoj de kursoj, ke, post lego de ĉapitro, ili faru multajn demandojn pri ĝi kaj donu al la lernantoj bonan okazon paroli la lingvon. (La demandoj montritaj en la libro estas nur bazo, kaj la profesoroj devos plimultigi ilin laŭ la tempo disponebla.)

Aŭdado kaj ripetado de esperantaj frazoj estas la plej bezonata afero ĉe la kursoj, ĉar tion la lernanto ne povas facile trovi hejme en sia lernolibro. Estas necese atentigi la lernanton pri la akcento (ĉiam sur la antaŭlasta silabo) kaj ankaŭ pri natura kaj ne trolonga elparolado de la vokaloj.

Ĝenevo, en Januaro 1909.

EDMOND PRIVAT

저자의 서문

파리의 "Librairie de l'Esperanto"에서 강좌 수강생이
나 이제 막 교과서 학습을 마친 초보자를 위해 쉬운 읽
기책을 써 달라고 부탁했습니다. 나는 일상 생활의 동일
한 주제에 대한 많은 단어가 각 글에 포함되도록 구성한
20장의 글을 제시하려고 했습니다. 20장에 걸쳐 학생의
흥미를 더 잘 유지하기 위해, 어린 시절부터 결혼까지
청년의 삶에 대한 이야기를 하나 썼습니다.

물론 그 이야기는 소설도 아니고 재치 있는 단편소설
도 아니고, 일상생활에 관한 20개의 장으로 이루어진 집
합에 불과하며, 사람의 일반적인 의미와 통일성으로 서
로 연결되어 있습니다. 하지만 어른들은 이 책에서 배움
의 장(章) 이상의 것을 발견할 수도 있고, 일상의 아주
소소한 사건들 속에서조차도 유년기와 청년기의 추억
속에서 일종의 시적 매력을 느낄 수 있을 것입니다.

나는 강좌의 강사들에게 한 장(章)을 읽은 후 그것에
대해 많은 질문을 하고 학생들에게 언어를 말할 수 있는
좋은 기회를 제공할 것을 권장합니다. (책에 제시된 질
문은 단지 기초일 뿐이며, 강사님께서 시간이 허락하는
한 늘려주셔야 합니다.)

에스페란토 문장을 듣고 반복하는 것은 강좌에서 가장
필요한 것입니다. 왜냐하면 학생은 집에서 교과서에서
그것을 쉽게 찾을 수 없기 때문입니다. 학생에게 악센트
(항상 끝에서 두 번째 음절에 있음)와 자연스럽고 지나
치게 길지 않은 모음 발음에 주의하도록 환기시키는 게
필요합니다.

1. La familio

Kiam naskiĝis Karlo, rozkolora kaj sana, liaj gepatroj estis ankoraŭ tre junaj. Ilia unua infano li estis. Lia apero en tiu ĉi mondo kaŭzis grandegan ĝojon en la tuta familio. Filo! vera vivanta knabeto! La junaj gesinjoroj Davis estis tre fieraj pri Karlo kaj ĝuis internan kaj trankvilan plezuron.

Sed la patro de S-ro Davis estis tro ĝoja por esti trankvila. Avo li estis nun; li tute forgesis, ke tio lin iom maljunigas kaj li kontraŭe sentis en si infanan gajecon.

Dum du tagoj post la naskiĝo de Karlo, li ne povis labori en sia oficejo. Li kuradis de sia domo al la domo de sia filo kaj de tie revenis al sia domo; li promenadis tra la stratoj de l' urbeto, eniris en ĉiajn magazenojn por aĉeti aferojn tute senutilajn; al ĉiu almozpetanto li donis multajn monerojn. Oni povis facile vidi, ke li estas kontenta.

La gepatroj de Sinjorino Davis estis jam tre maljunaj. Ili loĝis en granda urbo, kaj oni telegrafe anoncis al ili la naskiĝon de ilia nepo. Por ili, li ne estis la unua. Ilia filino

Margareto, la feliĉa patrino de Karlo, estis ilia sepa infano. Jam du el ŝiaj fratoj kaj tri el ŝiaj fratinoj estis edziĝintaj kaj eĉ havis infanojn, kiam fraŭlino Margareto renkontis la junan S-ron Davis, kun kiu ŝi baldaŭ fianĉiniĝis kaj poste edziniĝis. Fraŭlino Margareto estis tre beleta junulino kaj tre dolĉa. Pro tio ĉiuj gefratoj tre amis ŝin kaj ŝiaj gepatroj ricevis grandan ĉagrenon, kiam ŝi devis forveturi kun sia juna edzo.

Ĉe la baptotago de Karlo, preskaŭ la tuta familio de Sinjorino Davis ĉeestis, kaj ankaŭ la patro kaj la juna frato de Sinjoro Davis. Oni nomis la knabon Karlo-Teodoro por kontentigi lian patran avon S-ron Karlo Davis kaj lian patrinan avon S-ron Teodoro Renberg. Kompreneble oni ne povis elekti alian baptopatron, ol lian patran avon. La baptopatrino estis la plej maljuna fratino de Sinjorino Davis.

Dum la pastro malsekigis lian beletan kapeton kun kreskantaj blondaj haroj, sinjoreto Karlo-Teodoro ŝajnis gaje rideti kaj, subite palpante siajn malsekajn harojn per siaj manetoj, li faris al la ĉeestantoj en la preĝejo laŭtan, sed nekompreneblan paroladon, kiu preskaŭ rompis la seriozecon de la ceremonio. Sendube por haltigi lin, lia onklino donis al li pluvegon da kisoj. Kredante, ke ili estas gratulesprimoj kaj estante jam tre modesta, li tre malafable akceptis tiujn kisojn. Jam tie li mirigis multajn personojn.

Grava rimarko. — Por respondi al la demandoj oni devas neniam uzi simple "jes" aŭ "ne", sed ordigi la vortojn de la demando mem alimaniere kaj aldoni la necesajn vortojn.

EKZEMPLE: Ĉu la gepatroj de Karlo estis junaj, kiam li naskiĝis? — Jes, la gepatroj de Karlo, Sinjoro kaj Sinjorino Davis, estis ankoraŭ junaj, kiam naskiĝis ilia filo.

1. Ĉu la gepatroj de Karlo estis junaj, kiam li naskiĝis? — 2. Ĉu Karlo estis la unua infano de S-ro Davis? — 3. Kion faris la patro de S-ro Davis? — 4. Kiel oni anoncis la naskiĝon al la gepatroj de S-ino Davis? — 5. Kiom kostas la sendo de telegramo? — 6. Donu kelkajn baptonomojn de knaboj kaj knabinoj. — 7. Kion oni faris al Karlo en la preĝejo?

1. 가족

장미색깔의 건강한 카를로가 태어났을 때, 그 부모는 아직 매우 젊었습니다. 그들의 첫 아이가 카를로였습니다. 카를로가 이 세상에 태어나 온 가족에게 큰 기쁨을 안겨주었습니다. 아들! 진짜 살아있는 어린아이! 젊은 다비스 부부는 카를로를 매우 자랑스러워했으며 내면적이고 편안한 즐거움을 누렸습니다.

그러나 다비스 씨의 아버지는 편안히 있기에 너무 기뻤습니다. 이제 할아버지가 되었습니다. 이것이 자신을 조금 늙게 만든다는 사실을 완전히 잊어버렸고, 그 대신 그 안에서 어린애 같은 유쾌함을 느꼈습니다.

카를로가 태어난 지 이틀 동안 사무실에서 일할 수 없었습니다. 자기 집에서 아들의 집으로 달려갔다가 거기서 자기 집으로 돌아왔습니다. 작은 마을의 거리를 걸어서 지나다니며 온갖 상점에 들어가 전혀 필요없는 물건을 사고, 구걸하는 모든 사람에게 동전을 많이 주었습니다. 행복해 함을 모두 쉽게 알 수 있었습니다.

다비스 부인의 부모는 이미 매우 늙었습니다. 그들은 대도시에 살았고 손자의 탄생을 전보로 알았습니다. 그들에게는 처음이 아니었습니다. 딸이며 카를로의 행복한 어머니인 마가렛은 일곱 번째 자녀였습니다. 마가렛이 다비스를 만나 곧 약혼하고 나중에 결혼했을 때, 오빠 두 명과 언니 세 명은 이미 결혼했고 심지어 자녀도 두었습니다. 마가렛은 매우 예쁘고 다정한 아가씨였습니다. 이 때문에 형제자매들은 모두 마가렛을 매우 사랑했고, 마가렛이 젊은 남편과 함께 떠나야 할 때 부모님은 매우 마음아팠습니다.

카를로의 세례식에는 다비스 부인의 가족 대부분이 참석했고 다비스의 아버지와 남동생도 참석했습니다. 아이의 이름은 친할아버지인 카를로 다비스와 외할아버지인 테오도로 렌베르그를 기쁘게 하기 위해 카를로 테오도로로 정했습니다. 물론 친할아버지 외에 다른 대부를 선택할 수는 없습니다. 대모는 다비스 부인의 큰 언니였습니다.

신부님이 금발로 예쁘게 자란 머리에 세례를 하는 동안, 어린 카를로 테오도로는 유쾌하게 미소를 짓는 것 같더니, 갑자기 젖은 머리카락을 작은 손으로 만지며 성당 참여자들에게 진지한 의식을 거의 망칠 만큼 크고 이해할 수 없는 연설을 했습니다. 분명히 그것을 말리려고 이모가 세차게 입맞춤을 해주었습니다. 카를로는 그것이 축하의 표현이라고 믿고 벌써 아주 겸손한 태도로 그 키스를 마지못해 받아들였습니다. 이미 거기서 많은 사람들을 놀라게 했습니다.

중요한 알림. - 질문에 답하려면 단순히 "예" 또는 " 아니요"를 사용해서는 안 되며, 질문 단어의 순서를 다르게 지정하고 필요한 단어를 추가해야 합니다.

예: 카를로가 태어났을 때 그 부모는 젊었나요? - 그래요, 카를로의 부모인 다비스 씨 부부는 아들이 태어났을 때 아직 젊었습니다.

1. 카를로가 태어났을 때 그 부모는 젊었나요?
2. 카를로는 다비스 씨의 첫 아이였나요?
3. 다비스 씨의 아버지는 무엇을 하셨나요?
4. 다비스 부인의 부모에게 어떻게 출생을 알렸나요?
5. 전보를 보내는 데 비용이 얼마나 드나요?
6. 남자아이와 여자아이의 세례명을 몇 개 알려주세요.
7. 성당에서 카를로에게 무슨 일이 일어났나요?

2. La hejmo

Junaj gesinjoroj Davis estis nek riĉaj, nek malriĉaj, kaj havis plej ĉarman hejmon apud la urbeto. Tre simpla dometo, malgranda ĝardeno kun kelkaj arbetoj, jen ilia tuta hejmo, sed ĉio estis tre pura kaj delikata interne kaj ekstere. En la ĉambroj ĉio estis hela, la murpaperoj kaj la meblaro. Ĉie oni povis admiri kiel orde kaj elegante la delikataj manoj de Sinjorino Davis aranĝis ĉiujn aferojn.

La patro de Karlo-Teodoro estis ĉefkomizo en filio de la Nacia Banko kaj li ricevis tre bonan salajron. Ĉar nek li, nek lia edzino multe elspezis, li povis ĉiujare ŝpari sumon por "siaj infanoj".

Efektive Karlo ne ĝuis tre longe la gloron esti sola en la nova generacio de l' familio. Kiam li estis dujara kaj jam kuris tre bone tra la tuta domo, li trovis iun tagon bluokulan fratineton en la antikva lulilo, kie li kutimis dormadi antaŭ tre longe . . . kiam li estis malgranda.

Aliaj kredeble estus iĝintaj tre ĵaluzaj, sed Karlo estis grandanima, kaj lia vizaĝo tuj montris larĝan rideton kaj afablan esprimon de protektemo. Petinte la permeson de sia patrino, li kisis dufoje la frunton de sia dormanta fratineto.

Karlo tre multe interesiĝis je la progresoj de sia fratineto Helenjo. Kiam ŝi ankaŭ povis kureti tra la domo, li fariĝis ŝia instruanto kaj gvidanto.

Karlo estis tre observema kaj ankaŭ tre entreprenema. Li penadis imiti ĉion interesan, kion li vidis aŭ pri kio li aŭdis. Uzante tablon kaj multajn seĝojn, li konstruis grandan ŝipon, kies bela flava kamentubo estis . . . la paperkorbo de lia patro. Por Helenjo li ĉiam aranĝis komfortan sidejon per broditaj kusenoj forprenitaj el la salono.

Kiam Sinjorino Davis laboris ĉe sia kudromaŝino kaj Karlo ekfajfis kaj bruadis por anonci, ke danĝera ventego minacas la ŝipon, la timigata fratineto eksploris, tremante inter la broditaj kusenoj. Subite ĉio haltis: la kudromaŝino kaj la ŝipo. Helenjo baldaŭ retrankviliĝis sur la genuoj de l' patrino, konsolita, ĉu per ŝiaj dolĉaj kisoj, ĉu per la elokventaj klarigoj de Karlo, kiu venigis la ventegon nur por havi la okazon kuraĝe savi sian fratinon.

Supre en la domo estis longa subtegmenta

ĉambro, en kiu kuŝis ĉiaj kestoj, korboj, seĝoj kaj malnovaj objektoj. Estis por Karlo vera paradizo. Kiam li trovis malfermita la pordon de l' ŝtuparo, li rapide rampis al la ŝatata ĉambrego. Tie li plezurege ĉirkaŭpromenis, malfermante la kestojn, palpante kaj malordigante ĉiujn aferojn. La ĝojo daŭris ĝis lia patrino aŭ la servistino, aŭdinte bruon, venis lin serĉi kaj rekondukis lin malsupren.

1. Ĉu gesinjoroj Davis estis riĉaj? — 2. Kie ili loĝis? — 3. Citu kelkajn meblojn, kiuj troviĝas en via hejmo? — 4. Kion faris la patro de Karlo? — 5. Ĉu li multe elspezis? — 6. Ĉu Karlo estis ĵaluza? — 7. Kiel oni nomis lian fratinon? — 8. Per kio Karlo konstruis ŝipon? — 9. Sur kion li sidigis Helenjon? — 10. Per kio oni kudras? — 11. Kiu estas la plej granda firmo por la fabriko de kudromaŝinoj? — 12. Kiu ĉambro estis en la supro de la domo? — 13. Kio estis en ĝi? — 14. Ĉu Karlo ŝatis iri tien? — 15. Kion li faris en tiu ĉambro? — 16. Kiu kondukis lin malsupren? — 17. Ĉu estas lifto en via domo? — 18. Ĉu vi loĝas sur la unua etaĝo? — 19. Kiom da loĝantoj estas en via urbo?

2. 가정

젊은 다비스 부부는 부유하지도 가난하지도 않았으며 마을 근처에 아주 멋진 집을 갖고 있었습니다. 아주 소박한 작은 집, 나무 몇 그루가 있는 작은 정원이 그들의 집 전체였지만, 안팎의 모든 것이 매우 깨끗하고 섬세했습니다. 방에는 벽지, 가구 등 모든 것이 밝았습니다. 어느 곳에서나 다비스 부인의 섬세한 손길이 얼마나 질서 있고 우아하게 모든 것을 정리했는지 감탄할 수 있었습니다.

카를로 테오도로의 아버지는 국립 은행 지점의 수석 사무원이었으며 매우 좋은 급여를 받았습니다. 부부는 돈을 많이 쓰지 않았기 때문에 카를로의 아버지는 "자녀들"을 위해 매년 일정 금액을 저축할 수 있었습니다.

실제로 카를로는 새로운 가족 세대에서 혼자 있는 영광을 오랫동안 누리지 못했습니다. 카를로가 두 살이었고 이미 집 안을 아주 잘 뛰어다녔을 때, 어느 날 파란 눈의 여동생을 발견했습니다. 아주 오래 전에… 자신이 아기였을 때 잠을 자곤 했던 낡은 요람에서.

다른 사람들은 분명 매우 질투했을 것이지만, 카를로는 마음이 넓어, 즉시 활짝 미소를 지으며 친절한 보호의 표정을 얼굴에 보였습니다. 어머니의 허락을 구한 뒤, 잠든 여동생의 이마에 두 번 입맞춤을 해주었습니다.

카를로는 여동생 헬레뇨의 성장에 매우 관심이 있었습

니다. 동생이 집 안을 뛰어다닐 수 있게 되자 카를로는 동생의 선생님이자 안내자가 되었습니다.

카를로는 매우 관찰력이 뛰어나고 아주 추진력도 있었습니다. 자신이 보거나 들었던 흥미로운 모든 것을 모방하려고 노력했습니다. 탁자와 많은 의자를 사용하여 커다란 배를 만들었고, 그 배의 아름다운 노란색 굴뚝은 . . . 아버지의 종이바구니였습니다. 헬레뇨를 위해서 거실에서 가져온 수 놓은 방석으로 편안한 좌석을 항상 마련했습니다.

다비스 부인은 재봉틀에서 일하고 있고, 카를로가 위험한 강풍이 배를 위협하고 있다고 알리기 위해 휘파람을 불고 소란을 피울 때, 겁에 질린 여동생은 수 놓은 방석 사이에서 떨며 울기 시작했습니다. 갑자기 재봉틀과 배, 이 모든 것이 멈췄습니다. 헬레뇨는 곧 어머니의 무릎에서 다시 마음을 진정시켰고, 어머니의 달콤한 키스거나 용감하게 여동생을 구할 기회를 얻기 위해 폭풍을 몰고 온 카를로의 설득력 있는 설명에 위로를 받았습니다.

집 위층에는 온갖 종류의 상자, 바구니, 의자 및 오래된 물건이 놓여 있는 긴 다락방이 있었습니다. 카를로에게는 진정한 천국이었습니다. 계단의 문이 열려 있는 것을 발견한 카를로는 자신이 가장 좋아하는 큰 다락방으로 재빨리 기어갔습니다. 그곳에서 아주 즐겁게 돌아다니며 상자를 열고 모든 것을 만지고 어지럽혔습니다. 그 기쁨은 어머니나 하녀가 시끄러운 소리를 듣고 카를로를 찾으러 와서 다시 아래층으로 데려갈 때까지 계속되었습니다.

1. 다비스 부부는 부자였나요?
2. 그들은 어디에 살았나요?
3. 당신 집에 있는 가구의 이름을 몇 개 말해 보세요.
4. 카를로의 아버지는 무엇을 하셨나요?
5. 카를로의 아버지는 돈을 많이 썼나요?
6. 카를로가 질투했나요?
7. 카를로의 여동생 이름은 무엇인가요?
8. 카를로는 무엇으로 배를 만들었나요?
9. 카를로는 헬레뇨를 어디 위에 앉게 했나요?
10. 무엇으로 바느질하나요?
11. 재봉틀 만드는 가장 큰 회사는 어디인가요?
12. 집 꼭대기에는 어떤 방이 있나요?
13. 그 안에는 무엇이 있었나요?
14. 카를로가 거기 가는 걸 좋아했나요?
15. 그 방에서 카를로는 무엇을 하고 있었나요?
16. 누가 카를로를 아래로 데려왔나요?
17. 당신의 집에 엘리베이터가 있나요?
18. 당신은 1층에 사나요?
19. 당신이 사는 도시에는 주민이 몇 명이나 살고 있나요?

3. La servistino

La geavoj de Karlo konservis tre longe unu servistinon, kiun ĉiuj en la familio tre amis pro ŝia fideleco kaj diskreteco. Kiam la juna Sinjoro Davis edziĝis, la servistino iris en la novan hejmon por ĉion aranĝi. La juna edzino tiom plaĉis al ŝi, ke ŝi tie restis; kaj post la naskiĝo de Karlo, ŝi decidis, ke ŝi neniam foriros.

Ŝia nomo estis Anjo. Ŝi havis pintan nazon kun du malgrandaj grizbluaj okuloj kaj vangoj ĉiam tre ruĝaj, kiel pomoj. Sian blankan kufon ŝi preskaŭ neniam demetis, sed ofte okazis, ke Karlo fortiris ĝin por vidi la koloron de ŝiaj haroj. Ĉiufoje li ricevis pro tio vangofrapon kaj tuj poste kison.

En la domo Anjo faris ĉion; ŝi estis samtempe kuiristino kaj ĉambristino, sed la domo estis tiel malgranda, ke ŝi facile plenumis ambaŭ taskojn. Sinjorino Davis ŝin ofte helpis kaj faris ĉiujn kudrolaborojn. Anjo sentis en si tre grandan admiron al la juna dommastrino pro ŝia granda delikateco en ĉio.

Kelkafoje Karlo ricevis permeson iri frumatene al la legomvendejo kun Anjo. Ŝi portis du grandajn korbojn kaj li malpezan retsakon. Post dekkvinminuta marŝado ili alvenis al la publika placo. Multaj ĉevaloj kaj veturiloj staris apud la trotuaroj. En la mezo de la placo, ĉirkaŭ la monumenta fontano, sidis la gevendistoj kun siaj tabloj kaj korbegoj plenaj je brasikoj, terpomoj, fromaĝoj, fruktoj ĉiuspecaj. Anjo diskutadis kun multaj virinoj kaj fine aĉetis diversajn legomojn kaj grandan pecon da butero. Kelkafoje ŝi metis ion en la retsakon de Karlo. Poste tre rapide ili hejmen revenis.

Kelkafoje Karlo helpis Anjon meti la telerojn sur la tablon. La forkojn, kulerojn kaj tranĉilojn li ankaŭ alportis, sed neniam la glasojn, ĉar Anjo opiniis la aferon tro danĝera.

Iam li rompis tason, ĉar li provis porti tri samtempe. Alkuris Anjo ĉe la bruo . . . "Estas nenio," ekkriis Karlo, "mi ne vundiĝis." Anjo lin longe riproĉis, sed Karlo opiniis, ke estus multe pli saĝe, se ŝi irus tuj serĉi alian tason.

Kun Karlo, Anjo estis ĉiam gaja kaj ŝercema; sed kun Helenjo, ŝi estis multe pli dolĉa kaj eĉ ŝajnis iom malĝoja rigardante ŝin. Ŝi prenis ŝin delikate en siaj brakoj kaj movis la kapon penseme. Ĉiuj same ŝajnis melankolie dolĉiĝi apud Helenjo.

Karlo tre amis sian fratineton, sed ne kuraĝis multe ludi kun ŝi, ĉar ŝi ŝajnis timi la bruon kaj tre ofte ekploris. Li opiniis, ke la knabinoj estas delikataj estaĵoj, kiuj bezonas multe da zorgoj.

1. Kiel nomiĝis la servistino de S-ino Davis? — 2. Ĉu ŝi estis diskreta? — 3. Kiu estis la koloro de ŝiaj vangoj? — 4. Ĉu ĉiuj pomoj estas ruĝaj? — 5. Kio estas en la mezo de pomo? — 6. Citu kelkajn fruktojn. — 7. Kiun vi preferas? — 8. Ĉu Karlo kelkafoje tiris la kufon de Anjo? — 9. Kien iris Karlo kun la servistino? — 10. Kion li portis? — 11. Kiuj personoj estis sur la publika placo? — 12. Kion ili faris? — 13. Citu kelkajn legomojn? — 14. Kion aĉetis Anjo? — 15. Ĉu Karlo helpis Anjon por prepari la tablon? — 16. Kiom da tasoj rompis Karlo? — 17. Kion li respondis al la riproĉoj de Anjo? — 18. Ĉu Helenjo estis amata de sia frato? — 19. Kion opiniis Karlo pri Helenjo? — 20. Kiujn ludilojn preferas la knabinoj? — 21. Ĉu kelkafoje Helenjo ploris? — 22. Kiam oni ploras?

3. 하녀

　카를로의 조부모님은 아주 오랫동안 하녀를 한 명 두었는데, 성실하고 사려가 깊어 모든 가족이 하녀를 매우 사랑했습니다. 젊은 다비스 씨가 결혼하자 하녀는 모든 것을 정리하기 위해 새 집으로 들어갔습니다. 젊은 아내가 너무나 마음에 들어 하녀는 그곳에 쭉 머물렀습니다. 그리고 카를로가 태어난 후에는 절대 떠나지 않겠다고 결심했습니다.

　하녀의 이름은 아뇨였습니다. 아뇨는 작은 회청색 두 눈과 사과처럼 항상 매우 붉은 뺨에 뾰족한 코를 가졌습니다. 흰색 모자를 거의 벗지 않았지만, 카를로는 머리 색깔을 보려고 모자를 벗기는 일이 자주 있었습니다. 이 때문에 가정부는 매번 카를로의 뺨을 살짝 때리고 바로 입을 맞추었습니다.

　집에서는 아뇨가 모든 일을 했습니다. 아뇨는 요리사이자 가정부였지만 집이 너무 작아서 두 가지 일을 쉽게 해냈습니다. 다비스 부인은 자주 하녀를 도왔고 바느질을 항상 함께 했습니다. 아뇨는 이 젊은 가정주부가 모든 일에 매우 섬세하기 때문에 큰 존경심을 느꼈습니다.

　때때로 카를로는 아뇨와 함께 이른 아침에 청과물 가게에 가도록 허락을 받았습니다. 아뇨는 두 개의 큰 바구니를 들었고 카를로는 가벼운 망태를 들었습니다. 15분 정도 걸어서 그들은 공설 광장에 도착했습니다. 많은 말과 마차가 보도 옆에 서 있었습니다. 광장 중앙, 기념

분수 주변에는 남녀 상인들이 양배추, 감자, 치즈, 모든 종류의 과일로 가득 찬 바구니를 탁자위에 두고 앉아 있었습니다. 아뇨는 많은 여성들과 실갱이를 한 뒤 마침내 다양한 채소와 큰 버터를 샀습니다. 때때로 카를로의 망태에 뭔가를 넣기도 했습니다. 나중에 그들은 매우 빨리 집으로 돌아왔습니다.

때때로 카를로는 아뇨가 접시를 식탁 위에 놓는 것을 도왔습니다. 포크, 숟가락, 칼도 가져왔지만 유리잔은 절대 가져오지 않았습니다. 아뇨는 그것이 너무 위험하다고 생각했기 때문입니다.

한 번은 세 개를 동시에 가져오려고 하다가 컵을 깨뜨린 적도 있습니다. 아뇨는 소리가 나자 달려갔습니다. 카를로는 "아무것도 아니야."라고 소리쳤습니다. "나는 다치지 않았어." 아뇨는 오랫동안 카를로를 꾸짖었지만 카를로는 아뇨가 즉시 다른 컵을 찾으러 가는 것이 훨씬 더 현명할 것이라고 생각했습니다.

카를로와 함께 아뇨는 항상 즐겁고 놀리기도 자주 했지만 헬레뇨와 함께 있을 때 아뇨는 훨씬 더 다정했고 심지어 아기를 바라보는 것조차 조금 슬퍼 보였습니다. 아뇨는 헬레뇨를 조심스럽게 팔에 안고 신중하게 고개를 저었습니다. 헬레뇨 옆에서는 모두가 똑같이 우울하면서도 다정한 것 같았습니다.[1]

카를로는 여동생을 매우 사랑했지만 여동생이 시끄러

---

[1] 아뇨는 카를로와 함께 있을 때엔 항상 즐거워했고 또 농담도 잘 하는 편이었습니다. 그러나 헬레뇨와 함께 있을 때에는 훨씬 더 행복했고 심지어 그녀(아기?)를 바라보는 눈길이 조금 슬퍼 보이기조차 했습니다. 아뇨는 헬레뇨를 조심스럽게 팔에 안고서는 생각에 잠겨 고개를 저었습니다. 헬레뇨 옆에서는 모두들 우울하면서도 행복해지는 것 같았습니다. 박기완 역

운 것을 두려워하는 것 같았고 자주 울음을 터뜨리기 때문에 감히 여동생과 많이 놀지 못했습니다. 카를로는 여자아이들이 많은 보살핌을 필요로 하는 미묘한 존재라고 생각했습니다.

1. 다비스 부인의 하녀 이름은 무엇인가요?
2. 하녀는 사려가 깊은가요?
3. 하녀의 뺨 색깔은 어땠나요?
4. 사과는 모두 빨간색인가요?
5. 사과 한가운데에는 무엇이 들어있나요?
6. 과일 이름을 몇 개 말해 보세요.
7. 당신은 무엇을 선호합니까?
8. 카를로는 가끔 아뇨의 모자를 잡아당겼나요?
9. 카를로는 하녀와 함께 어디로 갔나요?
10. 카를로는 무엇을 가지고 갔나요?
11. 공설 광장에는 어떤 사람들이 있었나요?
12. 그들은 무엇을 했나요?
13. 채소 이름을 몇 개 말해 보세요.
14. 아뇨는 무엇을 샀나요?
15. 카를로가 아뇨의 식탁 준비를 도왔나요?
16. 카를로는 컵을 몇 개나 깨뜨렸나요?
17. 아뇨의 꾸중에 카를로는 뭐라고 대답했나요?
18. 헬레뇨는 오빠의 사랑을 받았나요?
19. 카를로는 헬레뇨에 대해 어떻게 생각했나요?
20. 여자아이들은 어떤 장난감을 더 좋아하나요?
21. 헬레뇨는 가끔 울었나요?
22. 사람들은 언제 우나요?

4. Dimanĉo

Dimanĉe matene Karlo restis longe en sia liteto kaj ĝuis la dolĉajn sonĝojn, kiujn alportas la oraj sunradioj, enirante en la ĉambron inter la kurtenoj de l' fenestro . . . Subite li ekvidis la dolĉan vizaĝon de sia patrino, alveninta por lin veki. Li estis tre gaja. Laŭte sonoradis la sonoriloj de l' preĝejoj, dum lia patrino lin helpis por lia tualeto.

Karlo opiniis, ke la spongoj estas tre malagrablaj objektoj, kiuj metas sapon en liajn okulojn. Li jam ofte konigis tiun impreson al sia patrino, sed ŝi tamen daŭrigis la uzadon de spongoj. Dimanĉe S-ino Davis vestis Karlon per brodita flanelĉemizeto, blanka pantalono kaj blua jaketo. Li havis flavajn ŝuetojn kaj grandan pajlan ĉapelon, pri kiu li estis tre fiera.

Dimanĉe posttagmeze Karlo promenadis kun sia patro. Li ŝatis iri al la bordo de l' rivero por vidi la ŝipojn kaj la fiŝkaptistojn, kiuj estis tre multaj. Estis seriozaj sinjoroj, longbarbaj maljunuloj kaj ankaŭ multaj knaboj. Ĉiu silente sidis sub unu el la arboj apud la bordo. Ili pacience rigardadis la fadenon de sia fiŝkaptilo malaperantan en la akvo. De tempo al tempo iu levis subite sian kanon kaj dekroĉis de la hoko brilantan fiŝon, malespere saltantan ĉiuflanken.

Antaŭ la vespero S-ro Davis kaj lia fileto revenis hejmen, kaj alvenis ĝustatempe por trinki varmegan tason da teo en la salono.

Ofte la avo kaj onklo Jako vizitis ilin dimanĉe kaj ĉiuj vespermanĝis kune.

La onklo Jako kelkafoje alportis sian fonografilon, kaj Karlo aŭdis mirindajn kantojn kaj muzikaĵojn. Iam onklo Jako diris ŝerckanteton antaŭ la granda buŝo de l' fonografilo. La maŝino ripetis la kanton poste kaj eĉ la ridegon de l' avo kaj de l' patro. Onklo Jako klarigis, ke la fonografilo ripetus kion ajn Karlo dirus antaŭ la maŝino, sed Karlo ne kuraĝis ion diri. Li jam opiniis, ke ofte estas tre saĝe silenti.

Karlo tre ŝatis sidi sur la genuoj de sia avo kaj aŭdi rakontojn pri la infaneco de sia patreto aŭ pri malproksimaj landoj, kiujn la avo vizitis. Li ŝatis aŭdi pri la maro, kaj tre deziris ĝin iam vidi.

Kiam estis bela vetero, la tuta familio sidis en la ĝardeneto. La avo prenis sian pipon, ĝin plenigis per tabako kaj ĝin ekbruligis. La patro kaj la onklo fumis nur cigaredojn. Karlo tre malŝatis la tabakfumon, kiu doloris liajn okulojn. Li ofte demandis sian patron, kial la viroj fumas; kaj la patro ĉiam respondis: "por la plezuro". Karlo decidis, ke li trovos pli agrablan plezuron, ol fumadi, kiam li estos viro. Sed kiam lia avo diris al li, ke ĉiuj maristoj fumas, li ekŝanĝis sian opinion.

1. Kion faris Karlo dimanĉe matene? — 2. Kiu helpis lin por lia tualeto? — 3. Kion li opiniis pri la spongoj? — 4. Per kio vestis sian filon S-ino Davis, dimanĉe? — 5. Kiuj personoj estis sur la bordo de la rivero? — 6. Ĉu ili faris multe da bruo? — 7. Kiu venis ofte por vespermanĝi? — 8. Kion alportis la onklo? — 9. Pri kio parolis la avo? — 10. Kie sidis la familio dum somero? — 11. Nomu la kvar sezonojn de la jaro. — 12. Kiun vi preferas? — 13. Ĉu la patro fumis? — 14. Kiom kostas bona cigaro? — 15. Ĉu la maristoj ofte fumas?

4. 일요일

일요일 아침, 카를로는 작은 침대에 오랫동안 누워 창문 커튼 사이를 통해 방으로 들어온 햇빛의 황금빛 광선이 가져다주는 달콤한 꿈을 즐겼습니다. 갑자기 자신을 깨우러 온 어머니의 다정한 얼굴을 보았습니다. 카를로는 매우 즐거웠습니다. 카를로가 몸치장을 하도록 어머니가 도와주는 동안 성당에서는 종소리가 크게 났습니다.

카를로는 스펀지가 자신의 눈에 비누를 집어넣는 매우 불쾌한 물건이라고 생각했습니다. 이러한 느낌을 어머니에게 자주 알렸지만 어머니는 여전히 스펀지를 계속 사용하셨습니다. 일요일에 다비스 부인은 카를로에게 수놓은 플라넬 셔츠, 흰색 바지, 파란색 짧은 저고리를 입혔습니다. 카를로는 작은 노란색 신발을 신고 매우 자랑스럽게 여기는 커다란 밀짚모자를 썼습니다.

일요일 오후 카를로는 아버지와 함께 산책했습니다. 매우 많은 배와 고기잡이들을 보기 위해 강둑에 가는 것을 좋아했습니다. 진지한 신사들, 긴 수염을 기른 늙은 이들, 그리고 남자아이들이 많았습니다. 모두 강가 나무 아래에 말없이 앉아 있었습니다. 그들은 낚싯줄이 물 속으로 사라지는 것을 참을성 있게 지켜보았습니다. 때때로 누군가가 갑자기 낚싯대를 들고 필사적으로 사방으로 뛰어오르는 반짝이는 물고기를 낚시바늘에서 떼어냈습니다.

저녁이 되기 전 다비스 씨와 어린 아들은 집으로 돌아와 응접실에서 따뜻한 차 한 잔을 마실 적당한 시간에 맞춰 도착했습니다.

종종 할아버지와 야코 삼촌이 일요일에 그들을 방문했고 그들은 모두 함께 저녁을 먹었습니다.

야코 삼촌은 때때로 녹음기를 가져왔고 카를로는 멋진 노래와 음악을 들었습니다. 야코 삼촌은 녹음기의 큰 마이크 앞에서 웃긴 노래를 짧게 말한 적이 있었습니다. 기계는 나중에 노래를 반복했고 심지어 할아버지와 아버지의 큰 웃음소리까지 반복했습니다. 카를로가 기계 앞에서 말하는 것을 무엇이든지 녹음기가 반복할 것이라고 야코 삼촌이 설명했지만 카를로는 감히 아무 말도 하지 못했습니다. 카를로는 이미 침묵을 지키는 것이 매우 현명하다고 자주 생각했습니다.

카를로는 할아버지의 무릎에 앉아 아버지의 어린 시절이나 할아버지가 방문했던 먼 나라에 대한 이야기 듣는 것을 정말 좋아했습니다. 바다에 대해 듣는 것을 좋아했고 언젠가 그것을 보기 원했습니다.

날씨가 좋을 때에는 온 가족이 작은 정원에 앉았습니다. 할아버지는 파이프를 가져다가 연초를 채우고 불을 붙였습니다. 아버지와 삼촌은 담배만 피웠습니다. 카를로는 눈을 아프게 하는 담배 연기를 정말 싫어했습니다. 종종 아버지에게 왜 어른들이 담배를 피우는지 물었습니다. 아버지는 항상 "즐거움을 위해"라고 대답했습니다. 카를로는 어른이 될 때 담배를 피우는 것보다 더 상쾌한 즐거움을 찾기로 결심했습니다. 그러나 할아버지가 모든 뱃사람이 담배를 피운다고 말하자 마음을 바꾸기 시작했습니다.

1. 카를로는 일요일 아침에 무엇을 했나요?
2. 카를로에게 누가 몸치장을 도와줬나요?
3. 카를로는 스펀지에 대해 어떻게 생각했나요?
4. 다비스 부인은 일요일에 아들에게 무엇을 입혔나요?
5. 강둑에는 어떤 사람들이 있었나요?
6. 그들은 시끄러웠나요?
7. 저녁식사에 누가 자주 왔나요?
8. 삼촌은 무엇을 가져왔나요?
9. 할아버지는 무엇에 관해 말씀하셨나요?
10. 여름 동안 가족은 어디에 앉았나요?
11. 한 해의 사계절을 말해보세요.
12. 당신은 어느 계절을 더 좋아하나요?
13. 아버지가 담배를 피우셨나요?
14. 좋은 담배의 가격은 얼마인가요?
15. 뱃사람들은 담배를 자주 피우나요?

5. Lernado

Karlo jam fariĝis forta knabeto kaj rapide grandiĝadis; sed li ankoraŭ ne eklernis la literojn de l' alfabeto. Lia patrino decidis, ke ŝi mem instruos lin en la komenco.

Ĉiumatene ŝi sidigis lin apud si kaj malfermis grandan libron kun nigraj signoj. Ŝi klarigis al li, ke per tiuj signoj oni skribas kaj, se li bone lernas ilin, li povos baldaŭ legi belegajn rakontojn en libroj. Karlo opiniis, ke la homoj estas vere mallertaj kaj sensencaj: kial ili ne venus mem diri siajn rakontojn? Estus multe pli simple. Post pripensado li esprimis sian opinion al la patrino.

— Sed, karuleto, ŝi diris, miloj da personoj volas koni la rakontojn. Estus neeble, ke la rakontistoj vizitu ĉiujn. Multaj rakontistoj loĝas tre malproksime, multaj estas mortintaj nun, kaj oni deziras tamen legi nun tion, kion ili skribis.

— Sed kial ili ne parolis en fonografilo, kiel onklo Jako? Oni ĉiam povus aŭdi ilin.

La patrino trovis Karlon iom tro diskutema:

— Nu, karega, ŝi diris, kisante lin, vi devas eklabori.

Sed Karlo profundiĝis en sia pensado . . . la strangaj nigraj signoj dancadis en nebulo antaŭ liaj okuloj. Li ripetis, A, B, C, senatente. Kiam lia patrino petis lin montri B, li ne sciis. La literon S li bone rekonis, ĉar ĝi similas serpenton, kaj ankaŭ O kaj C, kiuj similas tutan kaj duonan lunon. Por instrui al li la aliajn literojn, la patrino bezonis multe da semajnoj kaj multe da pacienco. Fine gesinjoroj Davis decidis, ke Karlo iru al lernejo. Ne malproksime de la hejmo loĝis maljuna sinjorino kaj ŝia filino, kiuj ambaŭ instruis infanojn. La lecionoj okazis nur tri matenojn ĉiusemajne, lunde, merkrede kaj vendrede.

Sinjorino Davis mem kondukis Karlon al la lernejo la unuan fojon. Dum ŝi parolis kun la respektinda estrino, S-ino Linar, Karlo rimarkigis al Fraŭlino Linar, ke unu seĝo en la klasĉambro estas rompita kaj ankaŭ, ke estas desegnita vizaĝo sur la muro. Li demandis la fraŭlinon, ĉu tio estas ŝia portreto aŭ tiu de la maljuna virino. La fraŭlino treege ruĝiĝis.

— Mi esperas, ke vi estos bona kaj ĝentila, diris lia patrino adiaŭkisante lin.

— Ho jes, patrineto.

Kiam la unua leciono estis komencita, Karlo

havis tre baldaŭ siajn manojn tute makulitaj je inko. Laŭ sia kutimo li viŝis ilin per sia antaŭtuketo. Beleta knabineto, kiu sidis apud li, multe ridis kaj moke rigardis lin. Pro tio Karlo opiniis, ke li certe pli amas sian fratinon Helenjon, ol ŝin.

Rakontu skribe la supran ĉapitron.

— 1. Kiu unue instruis Karlon? — 2. Kion faris la patrino de Karlo? — 3. Kion opiniis Karlo? — 4. Kiujn literojn li facile rekonis? — 5. Al kio similas la litero S? — 6. Kiu kondukis Karlon al la lernejo? — 7. Kion li rimarkis sur la muro? — 8. Kiun demandon li faris? — 9. Per kio Karlo makulis siajn manojn? — 10. Ĉu oni povas skribi sen inko kaj sen plumo? — 11. Ĉu Karlo estis en geknaba lernejo? — 12. Per kio li viŝis siajn manojn? — 13. Kiu ridis pri li? — 14. Ĉu de multaj jaroj oni uzas la skribmaŝinojn? — 15. Ĉu vi jam havis okazon uzi skribmaŝinon? — 16. Ĉu vi estas stenografiisto?

5. 배움

카를로는 이미 튼튼한 소년이 되었고 빠르게 자랐습니다. 그러나 아직 알파벳 글자를 배우지 못했습니다. 어머니는 처음에 자신이 직접 카를로를 가르치기로 마음 먹었습니다.

매일 아침 어머니는 카를로를 옆에 앉히고 검은 글자가 적힌 큰 책을 펼쳤습니다. 사람들이 그런 글자로 글을 쓰니, 그것을 잘 배우면 곧 책에서 매우 아름다운 이야기를 읽을 수 있다고 카를로에게 설명했습니다. 카를로는 사람들이 정말 무능하고 무의미하다고 생각했습니다. 왜 그들이 와서 자신의 이야기를 직접 말하지 않습니까? 훨씬 더 간단할 것입니다. 카를로는 그것에 대해 생각한 후 어머니에게 자신의 의견을 말했습니다.

"하지만 애야, 수천 명의 사람들이 그 이야기를 알고 싶어 해." 하고 어머니는 말했습니다. "이야기꾼들이 그 모든 곳을 방문하는 것은 불가능해. 많은 이야기꾼들이 아주 멀리 살고 있고, 많은 사람들이 죽어 지금 없지만, 누군가는 그들이 쓴 것을 지금 읽고 싶어하거든."

"그런데 왜 그들은 야코 삼촌처럼 녹음기에 말하지 않았나요? 언제나 그 소리를 들을 수 있거든요."

어머니는 카를로가 잘 따진다고 생각했습니다.

"글쎄, 애야, 너는 배우기 시작해야만 해." 하고 입을 맞추면서 말했습니다.

그러나 카를로는 자신의 생각에 더 깊이 빠져들었습니다. 이상한 검은 글자가 자신의 눈 앞에서 안개 속에서 춤을 추었습니다. 카를로는 무심코 A, B, C를 되풀이했습니다. 어머니가 B를 보여달라고 했을 때 카를로는 알 수 없었습니다. 카를로는 뱀을 닮았기 때문에 문자 S를 잘 알았고, 보름달과 반달을 닮았기에 O와 C도 잘 인식했습니다. 카를로에게 다른 문자들을 가르치기 위해 어머니는 수많은 주가 걸렸고 많은 인내가 필요했습니다. 마침내 다비스 씨 부부는 카를로를 학교에 보내야 한다고 결정했습니다. 집에서 멀지 않은 곳에 할머니와 딸이 살고 있었는데, 둘 다 아이들을 가르쳤습니다. 수업은 매주 월요일, 수요일, 금요일, 아침에 세 번만 진행되었습니다.

처음에 다비스 부인이 직접 카를로를 학교에 데려갔습니다. 어머니가 존경하는 리나르 교장 선생님과 이야기를 나누는 동안 카를로는 아가씨 리나르 선생님에게 교실의 의자 하나가 부러졌고 또한 벽에 얼굴이 그려져 있다는 것을 지적했습니다. 또한 아가씨에게 그것이 아가씨의 초상화인지 늙은 여자의 초상화인지 물었습니다. 아가씨는 얼굴이 매우 붉어졌습니다.

"네가 착하고 예의바르게 행동하길 바래." 하고 어머니가 카를로에게 작별 인사를 하며 말했습니다.

"예, 알겠습니다. 엄마."

첫 번째 수업이 시작되었을 때 카를로는 금세 손 전체를 잉크로 얼룩지게 만들었습니다. 자기 습관대로 옷의 앞부분으로 그것들을 닦았습니다. 카를로 옆에 앉아 있던 예쁜 소녀는 크게 웃으며 비웃는 듯 쳐다보았습니다. 이 때문에 카를로는 자신이 확실히 소녀보다 여동생 헬레뇨를 더 사랑한다고 생각했습니다.

위 장을 글로 서술해 보세요.

1. 처음에 누가 카를로를 가르쳤나요?
2. 카를로의 어머니는 무엇을 했나요?
3. 카를로는 어떻게 생각했나요?
4. 카를로는 어떤 글자를 쉽게 알아보았나요?
5. 문자 S는 무엇과 닮았나요?
6. 누가 카를로를 학교에 데려갔나요?
7. 카를로는 벽에서 무엇을 발견했나요?
8. 카를로는 어떤 질문을 했나요?
9. 카를로는 무엇으로 손에 얼룩지게 했나요?
10. 잉크와 펜 없이 글을 쓸 수 있나요?
11. 카를로는 남녀공학에 다녔나요?
12. 손을 무엇으로 닦았나요?
13. 누가 카를로를 비웃었나요?
14. 타자기를 오래전부터 사용해 왔나요?
15. 언젠가 타자기를 사용해 본 적이 있나요?
16. 당신은 속기사인가요?

6. La ideoj de Karlo

Karlo estis tre pensema kaj jam havis precizajn ideojn pri multe da aferoj. Dum la aliaj infanoj malfacile komprenis geografion, li tre bone prezentis al si la formon de la mondo: Post la montoj estas maroj, teroj kaj denove montoj ĝis la du ekstremaĵoj de la mondo. Tie sendube estas muro aŭ barilo, kiel sur ia ponto, por malhelpi, ke la personoj falu en abismon.

Karlo tre deziris iri iam al unu el tiuj ekstremaĵoj de la mondo. Certe estus strange vidi nenion plu antaŭen: nur la bluan ĉielon supre, kaj sub ĝi . . . nenion. Li tre miris kien falus iu homo, kiu estus forsaltinta de l' ekstremaĵo de l' mondo. Se li posedus la aeroplanon de la riĉa sinjoro, kiun konas lia patro, li provus flugi malsupren sub la mondon kaj reveni supren ĉe la alia flanko. Li miris kiel estas la subaĵo de la mondo.

Karlo demandis sian patron pri tio. S-ro Davis estis tre amuzata de la ideoj de Karlo kaj klarigis al li, ke la mondo estas kvazaŭ grandega oranĝo, rondiranta ĉirkaŭ la suno, kiu estas ankaŭ tre granda globo. Ĉiuj steloj kaj la luno estas ankaŭ globoj. La patreto klarigis al Karlo, ke la homoj vivas sur la tuta terglobo. Sed Karlo ne povis kredi tion kaj pensis, ke certe lia patro eraras. Kiel la homoj povus stari sub la tero?

Tiu demando lin multe priokupis, kaj li ŝajnis pripensadi dum la tuta tagmanĝo post la respondo de sia patro. Lia patrineto promesis ke, kiam li scios bone legi, ŝi aĉetos por li ilustritan libron pri tiuj aferoj.

Karlo havis grandan admiron al ĉiuj metiistoj, al ĉiuj manlaboristoj. Kun sia patrino li jam vizitis la paniston kaj vidis lin bakanta la panojn. Li vidis la ŝufariston enpikanta najlojn en la ŝuojn per martelo. Li eĉ vidis ie en la urbeto grandan ĉambron, kie multegaj junulinoj fabrikas ĉapelojn por sinjorinoj. Ili aranĝis rubandojn kaj plumojn sur la ĉapelo. Pasante apud granda hotelo, ili vidis, tra malaltaj fenestretoj, grandan kuirejon, kie multaj viroj, kun blankaj antaŭtukoj kaj ĉapoj, movis pladojn kaj kaserolojn kun granda bruo. Odoro de rostaĵo alvenis al la nazeto de Karlo.

En la stratoj ĉiu ŝajnis rapidi: knabo puŝis veturileton ŝarĝitan je pakaĵoj; maljuna lama viro kriante vendadis ĵurnalojn. S-ino Davis klarigis al sia filo, ke ĉiuj homoj laboras por gajni monon kaj aĉeti siajn vestojn kaj nutraĵojn kaj tiujn de sia familio.

Ankaŭ tio multe pensigis Karlon. "Kion faras patreto?" li demandis. La patrineto kondukis lin al la oficejo de sia edzo; kaj li vidis sian patron skribanta sur granda librego ĉe alta tablo. Karlo opiniis, ke lia patro havas tre enuigan profesion kaj li decidis, ke li mem preferos fariĝi kuiristo en hotelo aŭ veturigisto.

1. Kiel Karlo prezentis al si la formon de la mondo? — 2. Ĉu li bone komprenis la geografion? — 3. Kion li studos en la lernejo, krom la geografio? — 4. Kio estas aeroplano? — 5. Kiu fabrikas la panon? — 6. Kaj la kukojn? — 7. Kion oni povas aĉeti ĉe la spicisto? — 8. Kiom kostas unu funto da pano? — 9. Kion oni metas sur la ĉapelojn por sinjorinoj? — 10. Kiu profesio plej plaĉis al Karlo?

6. 카를로의 생각

카를로는 매우 사려 깊었고 이미 많은 것에 대해 정확한 생각을 갖고 있었습니다. 다른 아이들은 지리를 이해하는 데 어려움을 겪는 반면, 카를로는 세상의 모양을 아주 잘 상상했습니다. 산 뒤에는 바다가 있고, 땅이 있고, 다시 세상의 양쪽 끝까지 산이 있습니다. 사람들이 심연에 빠지는 것을 방지하기 위해 다리처럼 벽이나 울타리가 있다는 것은 의심의 여지가 없습니다.

카를로는 언젠가 세상의 양쪽 끝 중 한 곳으로 매우 가보고 싶었습니다. 더 이상 앞에 아무것도 보이지 않고 즉 위쪽에는 하늘만, 아래쪽에는 아무것도 보이지 않음은 확실히 이상할 것입니다. 카를로는 세상의 가장자리에서 뛰어내린 사람이 어디로 떨어질지 매우 기이하게 여겼습니다. 만일 그 사람이 아버지가 아는 부자 신사의 비행기를 소유하고 있었다면 세상 아래로 날아갔다가 다시 다른 쪽에서 올라오려고 했을 것입니다. 카를로는 세상의 바닥이 어떨지 기이하게 여겼습니다.

카를로는 아버지에게 그것에 대해 물었습니다. 다비스씨는 카를로의 생각에 매우 흥미를 느꼈고 세상은 역시 매우 큰 공모양인 태양 주위를 도는 거대한 오렌지와 같다고 카를로에게 설명했습니다. 모든 별과 달도 공모양입니다. 젊은 아버지는 카를로에게 사람들이 모든 지구 위에 살고 있다고 설명했습니다. 그러나 카를로는 그 말을 믿을 수 없었고 분명히 아버지가 틀렸다고 생각했습니다. 사람들이 어떻게 땅 밑에 설 수 있습니까?

그 질문은 카를로에게 많은 관심을 불러일으켰고, 카를로는 아버지의 대답을 듣고 난 후 점심시간 내내 그것에 대해 생각하는 것 같았습니다. 어머니는 카를로가 책을 잘 읽을 수 있게 되면 이러한 것들에 관한 그림책을 사주겠다고 약속했습니다.

카를로는 모든 수공업자, 모든 육체 노동자를 크게 존경했습니다. 이미 어머니와 함께 제빵사를 방문하여 빵을 굽는 것을 보았습니다. 제화공이 망치로 신발에 못을 박는 것을 보았습니다. 심지어 작은 마을 어딘가에서 많은 젊은 여성들이 여성용 모자를 만들고 있는 큰 방을 보았습니다. 그들은 모자에 리본과 깃털을 달았습니다. 큰 호텔을 지나갈 때 낮은 창문을 통해 큰 부엌을 보았는데, 그곳에서 흰 앞치마와 모자를 쓴 많은 남자들이 아주 소란스럽게 접시와 냄비를 휘젓고 있었습니다. 굽는 냄새가 카를로의 작은 코에 닿았습니다.

거리에서는 모두 서두르고 있는 것 같았습니다. 즉 소년이 짐을 실은 작은 수레를 밀었습니다. 절름발이 노인이 소리를 지르며 신문을 팔았습니다. 다비스 부인은 모든 사람이 돈을 벌어 자신과 가족을 위한 옷과 음식을 사기 위해 일한다고 아들에게 설명했습니다.

그것 또한 카를로에게 많이 생각하게 했습니다. "아빠는 뭐 하고 계시나요?" 카를로가 물었습니다. 엄마는 카를로를 자신의 남편 사무실로 데려갔습니다. 그리고 카를로는 아버지가 높은 탁자 위에 놓인 커다란 책에 글을 쓰고 있는 것을 보았습니다. 카를로는 아버지가 매우 지루한 직업을 갖고 있다고 생각했고, 자신은 호텔의 요리

사나 운전사가 되기로 마음을 먹었습니다.

1. 카를로는 세상의 모양을 어떻게 상상했나요?
2. 지리를 잘 이해하고 있었나요?
3. 지리 외에 학교에서는 무엇을 공부하게 되나요?
4. 비행기란 무엇인가요?
5. 빵은 누가 만드나요?
6. 케이크는요?
7. 향신료 가게에서는 무엇을 살 수 있나요?
8. 빵 1파운드의 가격은 얼마인가요?
9. 여성용 모자에는 무엇을 씌우나요?
10. 어떤 직업이 카를로의 마음에 가장 들었나요?

7. La sonĝo de Karlo

Post la interparolado kun sia patro pri la formo de l' tero, Karlo pripensis ankoraŭ tre ofte dum la tago. Strangan sonĝon li havis la sekvintan nokton. Li sonĝis, ke S-ro de Lavel, la riĉa amiko de lia patro, lin invitis por kunvojaĝado en sia aeroplano.

Ili aĉetis grandan keston da biskvitoj kaj metinte ĝin sur la aeroplanon, ili sidiĝis kaj ekflugis for. Ili devis transiri altajn montojn. La aeroplano flugadis tre rapide kaj trapasis grizajn nubojn. Estis malseke kaj malvarme. Karlo sin premis kontraŭ sia gvidanto, dum ili pasis super akraj montpintoj kaj teruraj rokoj.

S-ro de Lavel montris al Karlo, kiel la ebenaĵo subite finiĝas en la malproksimo. Tie estas la ekstremaĵo de la mondo, kiun li tiel deziris vidi. La aeroplano baldaŭ alteriĝis. Marŝinte kelkajn paŝojn, Karlo sin trovis ĉe la limo de la mondo. Estis granda kajo kun fera barilo inter limŝtonoj. Tenante la manon de S-ro de Lavel, Karlo kliniĝis por rigardi malsupren: nenio, nur bluo . . . senfine.

Ambaŭ manĝis kelkajn biskvitojn tute malmoligitajn de la malvarmo. "Nu," diris S-ro de Lavel post momento, "ni nun veturos malsupren sur nia flugmaŝino, ĉu ne?" Karlo ektimis iom sed nenion diris. Ili forflugis. La aeroplano transpasis super la barilo kaj flugadis tute rekte for de l' tero.

Post kelkaj minutoj, kiam ili estis jam tre malproksimaj de la tero, S-ro de Lavel ŝanĝis la direkton de la maŝino. Ĝi komencis oblikvan flugadon malsupren. Ili reproksimiĝis al la tero, kaj tiam ĝian subaĵon ili vidis.

Pli kaj pli mallumiĝis, dum la aeroplano rapidege flugadis kurbe por restadi proksime de l' tero. Stranga afero: la ĉielo estis malsupre kaj flanke, sed supre kaj ĉe la alia flanko estis la bruna tero.

La aeroplano estis malsuprenirinta tre rapide kaj povis nun flugadi preskaŭ horizontale. Ili ekvidis strangajn arbojn kun longa torda trunko rampanta. Baldaŭ domojn ili ekvidis, verajn domojn pendantajn sub la tero. Ili estis tre multaj kaj ŝajnis esti lignaj dometoj diverskolore pentritaj. Ĉiam pli kaj pli ili alproksimiĝis. Karlo rimarkis, ke la dometoj havas pintan tegmenton kaj ŝajnas pendi je la tero per granda fera ringo ligita al la trunkoj kaj branĉegoj de la rampantaj arboj.

Inter la domoj estis pontoj, sur kiuj aperis multaj homoj ŝajne blanke vestitaj.

Klininte sin por pli bone vidi, Karlo perdis sian ekvilibron kaj falis en la abismon . . .

Li sentis la malvarman aeron siblantan je liaj oreloj, dum li senfine faladis en la profundegaĵo.

— "Nu, karuleto, estas malfrue, vi devas ellitiĝi!"

Lia patrino lin vekis. Karlo frotis siajn okulojn: "Patrineto," li diris oscedante, "mi vidis homojn sub la alia flanko de l' mondo."

1. Kiu invitis Karlon por vojaĝi en aeroplano? — 2. Kion montris S-ro de Lavel al Karlo? — 3. Ĉu Karlo iom timis? — 4. Kion faris la aeroplano? — 5. Kiujn domojn ekvidis Karlo? — 6. Ĉu ilia tegmento estis ronda? — 7. Kio estis inter la domoj? — 8. Kion faris Karlo por pli bone vidi? — 9. Kio okazis? — 10. Kiu vekis lin? — 11. Rakontu sonĝon, kiun vi faris.

7. 카를로의 꿈

아버지와 지구의 모양에 관해 대화를 나눈 후에 카를로는 낮 동안에도 여전히 자주 생각했습니다. 카를로는 다음날 밤 이상한 꿈을 꾸었습니다. 아버지의 부자 친구인 드 라벨 씨가 갖고 있는 비행기로 함께 여행하도록 자신을 초대하는 꿈을 꾸었습니다.

그들은 큰 비스킷 상자를 사서 비행기에 실은 후 앉아서 멀리 날아갔습니다. 그들은 높은 산을 넘어야 했습니다. 비행기는 매우 빠르게 날아 회색 구름을 통과했습니다. 습하고 추웠습니다. 카를로는 날카로운 봉우리와 무시무시한 바위를 지나갈 때 안내자에게 몸을 바짝 붙였습니다.

드 라벨 씨는 카를로에게 평원이 갑자기 멀리서 끝나는 것을 보여주었습니다. 카를로가 그토록 보고 싶었던 세상의 끝이 거기에 있습니다. 비행기는 곧 착륙했습니다. 몇 걸음만 걷자 카를로는 자신이 세상의 가장자리에 있다는 것을 깨달았습니다. 경계석 사이에는 철 차단기가 있는 커다란 부두가 있었습니다. 드 라벨 씨의 손을 잡고 카를로는 몸을 굽혀 아래를 내려다보았습니다. 아무것도 없고 파란색만 있었습니다. 끝없이.

둘 다 추위로 완전히 굳어진 비스킷을 먹었습니다. "글쎄." 드 라벨 씨가 잠시 후에 말했습니다. "우리는 지금 비행기를 타고 아래로 날아가야겠지, 그렇지?" 카를로는 조금 겁이 났지만 아무 말도 하지 않았습니다. 그들은 날아갔습니다. 비행기는 차단기를 넘어 땅에서 똑바로 날아갔습니다.

몇 분 후, 그들이 이미 땅에서 아주 멀리 떨어져 있을 때 라벨은 기계의 방향을 바꿨습니다. 그것은 아래로 비스듬히 비행을 시작했습니다. 그들은 다시 땅에 가까이 갔고, 그때 땅의 바닥을 보았습니다.

비행기가 땅에 가까이 계속 있도록 빠른 속도로 곡선을 그리며 날아가는 동안 점점 어두워졌습니다. 이상한 점은 하늘이 아래와 옆에 있었지만 위와 반대편에는 갈색 땅이 있었습니다.

비행기는 매우 빠르게 내려가 이제 거의 수평으로 비행할 수 있게 되었습니다. 그들은 길고 뒤틀린 줄기가 덩굴로 된 이상한 나무들을 보았습니다. 곧 그들은 지하에 매달려 있는 실제 집, 작은 집들을 보았습니다. 그것들이 많았고, 서로 다른 색으로 칠해진 목조 주택인 것 같았습니다. 그들은 점점 더 가까워지고 있었습니다. 카를로는 작은 집의 지붕이 뾰족하고, 덩굴나무의 줄기와 가지에 부착된 커다란 쇠고리로 땅에 매달려 있는 것처럼 보인다는 사실을 알아차렸습니다.

집들 사이에는 다리들이 있는데 하얗게 보이는 옷을 입은 사람들이 그 위에 많았습니다.

더 잘 보려고 몸을 구부린 카를로는 균형을 잃고 심연에 빠졌습니다.

끝없이 심연 속으로 떨어지는 동안 카를로는 귓가에 차가운 공기가 쉭쉭거리는 것을 느꼈습니다.

"얘야, 늦었으니 일어나야 해!"

어머니가 카를로를 깨웠습니다. 카를로는 눈을 비비며 "엄마"하고 하품을 하며 말했습니다. "나는 지구 반대편 아래에 있는 사람들을 봤어요"

1. 카를로에게 비행기 여행을 함께 하자고 누가 초대 했나요?
2. 드 라벨 씨는 카를로에게 무엇을 보여 주었나요?
3. 카를로는 조금 무서웠나요?
4. 비행기는 무엇을 했나요?
5. 카를로는 어떤 집을 보았나요?
6. 그 지붕이 둥글었나요?
7. 집 사이에는 무엇이 있었나요?
8. 카를로는 더 잘 보기 위해 무엇을 했나요?
9. 무슨 일이 일어났나요?
10. 카를로를 누가 깨웠나요?
11. 당신이 꾼 꿈에 대해 말해 보세요.

8. La liceo

Kiam Karlo estis dekdujara, liaj gepatroj opiniis, ke li sufiĉe longe restis en infana lernejo. Estis tempo meti lin en liceon. (Liceo estis, en la tempo de nia rakonto, la nomo de la oficialaj lernejoj, kie la knaboj lernadas ĝis ili fariĝas studentoj). Estis unu liceo en la urbo. Bedaŭrinde ĝi estis malproksime kaj Karlo devos marŝadi dudek minutojn por tien iri de sia hejmo. Lia patrino proponis, ke oni aĉetu por Karlo biletaron por la tramvojo, sed S-ro Davis tute ne permesis tion. Li opiniis, ke marŝado estas tre bona kaj saniga ekzercado.

Por esti akceptata en la liceon, estis necese ke Karlo sukcesu je ekzameno antaŭe. La ekzameno estis nek longa, nek malfacila. Tamen S-ro Davis volis certiĝi, ke lia filo sukcesos; por tio li venigis hejmen junan instruiston, kiu en kelkaj semajnoj pliprogresigis Karlon en la kono de aritmetiko kaj ortografio, ol Sinjorinoj Linar en kelkaj jaroj.

Unu semajnon antaŭ la ekzameno, S-ro Davis

kondukis sian filon al la liceestro por lin enskribigi. La estro estis tre malalta viro kun grizaj haroj, griza barbeto kaj rondaj, brunaj okuloj post oraj okulvitroj.

— Sinjoro direktoro, diris S-ro Davis, kiam la servisto lin enirigis kun lia filo en la direktejon, kiel vi estas? Mi ĝojas vin revidi, kaj alkondukas al vi mian knabeton Karlon, kiu estos espereble bona lernanto en la liceo.

La direktoro rigardis Karlon tra siaj grandaj okulvitroj kaj malfermis larĝan libregon.

— Davis, Karlo . . . kiu estas via alia antaŭnomo, junuleto?

— Teodoro, Sinjoro direktoro, respondis Sinjoro Davis vidante, ke lia filo distrate ne aŭdis la demandon. Efektive Karlo estis distrata: li ĵus vidis muŝon, kiu dronis en la kupran inkujon kaj li atente observis ĝiajn penojn por forflugi.

— Via aĝo? demandis la direktoro.

S-ro Davis pinĉis la brakon de Karlo: "Kiom jara vi estas, Karlo?"

Karlo ektremis kaj serioziĝante, lia vizaĝo tute ruĝiĝis: "Dekdujara, sinjoro," li diris timeme.

— "Vi venu lundon," diris la direktoro, "je la 8-a matene kun inko, plumo, krajono, kaj blanka papero por la ekzameno. Via filo,

Sinjoro Davis, ŝajnas bona kaj inteligenta knabeto. Bonan tagon . . . atentu la ŝtupon post la dua pordo maldekstre."

Elirante el la skriboĉambro de l' direktoro, S-ro Davis montris al sia filo la internan korton de la liceo. Meze de la du novaj konstruaĵoj staris la malnova parto de la lernejo, kun duobla ŝtuparo super kolonoj kaj arkaĵoj.

— Tien venadis multaj generacioj antaŭ mi kaj vi, diris al Karlo lia patreto. Via avo kaj niaj praavoj tie lernadis, kiam ili estis knaboj.

1. Kiun aĝon havis Karlo, kiam li ekiris al liceo? — 2. Ĉu la liceo estis proksime de lia hejmo? — 3. Ĉu Karlo estis multe lerninta ĉe S-inoj Linar? — 4. Kion diris la patro al la direktoro? — 5. Pri kio okupiĝis Karlo, kiam oni demandis lin? — 6. Kion li devis alporti por la ekzameno? — 7. Kion montris S-ro Davis al sia filo? — 8. Ĉu la lernejo estis tute nova? — 9. Ĉu vi jam provis ekzamenon?

8. 중고등학교

카를로가 열두 살이었을 때 부모는 카를로가 어린이 학교에 충분히 오래 다녔다고 생각했습니다. 이제 카를로를 중고등학교에 입학시킬 때가 되었습니다. (중고등학교는 우리 이야기가 나올 당시에 소년들이 대학생이 될 때까지 배우는 공식 학교의 이름이었습니다.) 그 도시에는 중고등학교가 하나 있었습니다. 유감스럽게도 그곳은 멀리 떨어져 있었고 카를로는 집에서 거기까지 가려면 20분을 걸어야 했습니다. 어머니는 카를로를 위해 전차표를 사자고 제안했지만 다비스 씨는 이를 절대 허락하지 않았습니다. 다비스 씨는 걷기가 매우 좋고 건강한 운동이라고 생각했습니다.

카를로가 중고등학교에 입학하려면 먼저 시험에 합격하는 게 필요했습니다. 시험은 길지도 어렵지도 않았습니다. 그러나 다비스 씨는 아들이 성공할 수 있기를 원했습니다. 이를 위해 젊은 교사를 집으로 데려왔고, 그 교사는 몇 주 만에 카를로를 산수와 철자법 지식에 있어서 리나르 선생님들이 몇 년 동안 했던 것보다 더 발전하게 만들었습니다.

시험 일주일 전, 다비스 씨는 아들을 등록시키기 위해 중고등학교 교장에게 데려갔습니다. 교장은 회색 머리, 회색 턱수염, 금색 안경 뒤에 둥글고 갈색 눈을 가진 매우 키가 작은 남자였습니다.

"교장 선생님" 수위가 다비스와 카를로에게 교장실로 들어가라고 하자 다비스 씨가 말했습니다. "잘 지내셨나요? 다시 뵙게 되어 반갑습니다. 중고등학교에서 좋은 학생이 될 제 어린 아들 카를로를 데려왔습니다."

교장은 큰 안경 너머로 카를로를 바라보며 넓은 책을 펼쳤습니다.

"다비스, 카를로. . . 다른 이름은 뭐예요, 젊은이?"

"테오도로입니다. 교장 선생님" 다비스 씨는 아들이 집중력이 떨어져 질문을 듣지 못하는 것을 보고 대답했습니다. 실제로 카를로는 주의가 산만해서, 방금 구리 잉크병에 빠진 파리를 보았고 파리가 날아가려고 애쓰는 것을 주의 깊게 살폈습니다.

"나이는요?" 교장이 물었습니다.

다비스 씨는 카를로의 팔을 꼬집었습니다. "몇 살이냐, 카를로?"

카를로는 몸을 떨더니 진지해지면서 얼굴이 완전히 붉어졌습니다. "12살입니다, 선생님." 하고 소심하게 말했습니다.

"월요일에 와요." 교장 선생님이 말했습니다. "아침 8시에 시험을 보기 위해 잉크, 펜, 연필, 백지를 가지고…. 다비스 씨, 아들은 착하고 총명한 아이인 것 같습니다. 좋은 하루 보내세요. 왼쪽 두 번째 문 다음 계단을 조심하세요."

교장실을 떠나 다비스 씨는 아들에게 중고등학교 안뜰을 보여주었습니다. 두 개의 새 건물 사이에는 기둥과 아치 위에 이중 계단이 있는 학교의 오래된 부분이 있었습니다.

"나와 너보다 먼저 거기에서 수많은 세대가 다녔어."

아버지가 카를로에게 말했습니다. "네 할아버지와 우리 조상들이 어렸을 때 그곳에서 공부했지.

1. 카를로가 중고등학교에 갔을 때 몇 살이었나요?
2. 중고등학교가 집 근처에 있었나요?
3. 카를로는 리나르 선생님들에게서 많은 것을 배웠나요?
4. 아버지는 교장에게 뭐라고 말했나요?
5. 카를로는 질문을 받았을 때 무엇에 몰두하고 있었나요?
6. 시험에 무엇을 가져가야 하나요?
7. 다비스 씨는 아들에게 무엇을 보여줬나요?
8. 학교가 완전히 새롭나요?
9. 당신은 시험을 보신 적이 있나요?

9. Ekzameno

La matenon de la ekzamena tago Karlo alvenis tre frue en la korton de la liceo. Li portis belan ledan sakon, tute novan, kiun lia patro ĵus donacis al li. En ĝi estis papero kaj skribilaro kun inkujo, plumoj kaj krajonoj en blua skatolo. En la korto estis jam kelkaj knaboj, sed neniu konata de Karlo. Ĉiumomente alvenis kelkaj aliaj. Fine Karlo ekvidis kamaradon, kiu ĉeestis du jarojn kun li la lernejon de S-inoj Linar. Lia nomo estis Henriko Belnett.

Karlo tuj iris saluti Belnett kun granda ĝojo, ke li fine trovis iun konaton. Belnett jam de unu jaro estis lernanto ĉe la liceo. Sed li malsukcesis la jarfinan ekzamenon kaj devis ĝin reprovi nun.

Karlo rimarkis, ke la plimulto el la knaboj havas sian ĉapon flanke aŭ malantaŭe sur la kapo. Kredante, ke tio estas kvazaŭ oficiala kutimo, Karlo atendis momenton, kiam neniu lin rigardas, kaj rapide maldekstren puŝis sian ĉapon. Sed tio ne longe utilis ĉar la sonorilo tuj eksonoris, kaj ĉiuj knaboj ekiris al la ŝtuparo super la kolonoj. Sekvante unu la alian kvazaŭ ŝafoj, ili supreniris. Supre ili trovis profesoron kun longaj liŭharoj, kiu ordonis, ke ili malsupreniru kaj eniru la trian pordon ĉe la maldekstra konstruaĵo.

Apud la malfermita pordo troviĝis la direktoro parolanta kun tre altkreska profesoro. Tiu ĉi senpense saltigadis la ŝlosilon de la klaso super sia mano kaj ĝin ĉiufoje rekaptis. Malantaŭ Karlo eniris malgrasa kaj pala knabeto kun bone kombitaj haroj. Li ŝajnis tre bonmaniera kaj ankaŭ timema. Jam en la korto li forprenis sian ĉapelon por peti sciigon de Belnett, kies laŭta ekridego forflugigis lin kvazaŭ timigatan birdeton.

Kiam ĉiuj estis en la klaso, la malgrasa knabeto venis sidiĝi apud Karlon. La granda profesoro envenis kaj energie fermis la pordon. Karlo opiniis, ke li estas certe bona kaj afabla viro, ĉar li havas tiel brilajn okulojn kaj tiel belan nigran barbon.

— Mi diktos nun la ekzamenajn demandojn, li diris; vi havos unu skribverkaĵon, kiu utilos samtempe kiel ortografia, historia kaj geografia ekzameno. Skribu: Kion vi scias pri Afriko? Vi devas skribi almenaŭ tri paĝojn kaj ne pli ol kvar. Nun la dua demando estas problemo;

skribu: Iu Sinjoro A aŭtomobile veturas kun rapideco de dudek-sep mejloj en unu horo, kaj alia aŭtomobilisto B veturas sur la sama strato kun rapideco de kvardek-unu mejloj en unu horo; kiam la dua renkontos la unuan, supozite ke S-ro A forveturis de la urbo je la naŭa kaj duono matene kaj S-ro B forveturis de la sama loko je la deka matene?

Poste komencis la silenta laborado. De tempo al tempo iu brue ektusis. La granda profesoro promenadis tra la ĉambro. Ĉiufoje kiam li apudpasis, la pala knabeto flanke de Karlo ektremis kaj haltis en sia skribado.

1. Kiun renkontis Karlo ĉe la ekzameno? — 2. Kial Belnett devis provi la ekzamenon? — 3. Kion rimarkis Karlo? — 4. Kion faris la profesoro, kiu parolis kun la direktoro? — 5. Kion diktis la profesoro? — 6. Ĉu la problemo estis tre malfacila? — 7. Ĉu vi jam vidis kuradon de aŭtomobiloj?

9. 시험

시험 당일 아침, 카를로는 중고등학교 안뜰에 아주 일찍 도착했습니다. 아버지가 막 선물해 주신 아주 새로운 멋진 가죽 가방을 가지고 왔습니다. 그 안에는 종이와 파란색 필통에 든 잉크병, 펜, 연필의 필기구용품이 들어 있었습니다. 안뜰에는 이미 소년 몇 명이 있었지만 카를로가 아는 사람은 아무도 없었습니다. 계속해서 다른 사람들이 조금씩 도착했습니다. 마침내 카를로는 리나르 선생님의 학교에서 2년 동안 함께 다녔던 친구를 만났습니다. 친구의 이름은 헨리코 벨넷이었습니다.

카를로는 마침내 아는 사람을 찾았다는 큰 기쁨으로 즉시 벨넷에게 인사하러 갔습니다. 벨넷은 이미 1년 동안 중고등학교에 다니고 있었습니다. 하지만 연말 시험에 낙방해 지금 다시 시험을 치러야 했습니다.

카를로는 대부분의 소년들이 머리 옆이나 뒤쪽에 모자를 쓰고 있다는 것을 알아차렸습니다. 이것이 일종의 공식적인 관습이라고 생각한 카를로는 아무도 자신을 보지 않을 때를 기다렸다가 재빨리 모자를 왼쪽으로 밀었습니다. 그러나 종소리가 즉시 울리고 모든 소년들이 기둥 위의 계단으로 출발했기 때문에 오래 가지 못했습니다. 그들은 양처럼 서로를 뒤따라 올라갔습니다. 위층에서 그들은 긴 콧수염을 기른 교수를 발견했는데, 교수는 그들에게 아래층으로 내려가 왼쪽 건물에 있는 세 번째 문으로 들어가라고 명령했습니다.

열린 문 옆에는 교장이 키가 아주 큰 교수와 이야기를 나누고 있었습니다. 이 사람은 교실 열쇠를 무심코 손 위로 던졌다가 매번 다시 받았습니다. 카를로 뒤로 머리를 잘 빗은 마르고 얼굴이 흰 소년이 들어왔습니다. 소년은 매우 예의 바르고 또 수줍어하는 것처럼 보였습니다. 이미 안뜰에서 벨넷에게 소식을 물으려고 모자를 벗었고 벨넷이 크게 웃어서 소년은 겁에 질린 작은 새처럼 멀리 날 듯이 달려갔습니다.

모두 수업에 들어갔을 때, 그 마른 소년이 카를로 옆에 앉으려고 들어왔습니다. 덩치가 큰 교수가 들어와 힘차게 문을 닫았습니다. 카를로는 그토록 빛나는 눈과 그토록 아름다운 검은 수염을 갖고 있기에 교수가 착하고 친절한 사람임에 틀림없다고 생각했습니다.

"이제 시험 문제를 읽어줄게요." 하고 교수가 말했습니다. "철자법, 역사, 지리학 시험과 같이 동시에 유용할 작문글을 갖게 될 것입니다. 적으세요. 아프리카에 대해 무엇을 알고 있나요? 최소 3페이지, 최대 4페이지를 작성해야 합니다. 이제 두 번째 질문이 문제입니다. 적으세요. 어느 A 씨는 1시간에 27마일의 속도로 자동차를 운전하고, 다른 운전자 B는 같은 거리에서 1시간에 41마일의 속도로 운전합니다. A 씨가 오전 9시 30분에 도시를 떠났고 B 씨가 같은 장소에서 오전 10시에 떠났다고 가정하면 두 번째 사람은 언제 첫 번째 사람을 만날까요?"

나중에 조용한 글쓰기가 시작되었습니다. 때때로 누군가 시끄럽게 기침을 했습니다. 덩치가 큰 교수가 교실을 돌아 다녔습니다. 교수가 지나갈 때마다 카를로 옆에 있던 얼굴이 흰 소년은 떨면서 글쓰기를 멈추었습니다.

1. 카를로는 시험장에서 누구를 만났나요?
2. 벨넷은 왜 시험을 치뤄야만 했나요?
3. 카를로는 무엇을 알아차렸나요?
4. 교장과 대화를 나눈 교수는 무엇을 했나요?
5. 교수는 무엇을 읽어주었나요?
6. 문제가 많이 어려웠나요?
7. 자동차 경주를 본 적이 있나요?

10. Liceano

Karlo sukcesis la ekzamenon kaj estis akceptita kiel lernanto ĉe la liceo. Matene la lecionoj komenciĝis je la 8-a kaj daŭris ĝis la dekdua, kun dek minutoj da intertempo ĉiuhore inter la lecionoj. Tagmeze Karlo devis rapidi hejmen por ne alveni malfrue por la tagmanĝo. Post la deserto li tuj devis reiri, ĉar jam je la unua kaj duono komenciĝis posttagmeze la lecionoj.

Post kelkaj semajnoj da lernado en la liceo, Karlo jam sciis multe: Li ne kisis plu sian fratinon. Li ne plu marŝis sur la trotuaroj, sed flanke de ili, ĉefe se restis pluvakvo. Li tenis siajn manojn en la poŝoj kaj eltiris ilin kelkafoje por doni pugnobatojn facile kaj rapide. Li sciis vortojn, kiujn lia fratino ne komprenas. Li havis ofte truojn je siaj ŝtrumpoj kaj ankaŭ kelkafoje je siaj pantalonoj. Li diris ofte: "Mia amiko Janko vidis tion", aŭ "mia amiko Delesar diris tion ĉi", aŭ "mia amiko Vuanzo faras nur mallertaĵojn". Li havis la manojn tute nigraj en la fino de la tago. Li ofte estis desegninta vizaĝetojn sur siaj ungoj. Li sciis paroli pri politiko; li diris "tiu malsprita ministro", aŭ "danĝera hundo, tiu deputato!"

Karlo nun havis ĉe la liceo multajn amikojn, aŭ pli bone multajn kamaradojn, ĉar li ne estimis ĉiujn egale. Estis Belnett, kiu multe parolis, kaj Pietro, kiu lin ĉiam aŭskultis. Estis Rigar, tre dika, kiun oni nomis "kukurbo"; ĉe la banejo, li ne bezonis naĝi: tute senmove li restadis sur la akvo, kiel peco da ligno. Estis Paŭlo kaj Davido Rois, du fratoj, kiuj ĉiam tre bone laboris kaj dum la lecionoj neniam parolis aŭ bruis.

Estis "Kokido", la malgrasa knabeto, ĉiam tre zorge vestita kaj ĝentila, sed ĉiam pala kaj timema; Rigar diris pri li: "Mi ne volus lin tuŝi, ĉar mi timus lin disrompi." Estis Kahn, filo de riĉa bankisto. Estis Donel, kiu ĉiam aĉetis bombonojn kaj sukeraĵojn. Estis Laminde, kiu tre bone deklamis; Servetti, kiu admirinde imitis ĉiujn bestoblekojn; Cenar, tre malavara; Holder, ĉiam pensema kaj silenta; Vuanzo, ĉiam ridanta; Robert, fiera kaj kolerema; Peter, filo de panisto, ĉiam kun ruĝa kravato; Man, kiu fabrikis fajfilojn.

Estis Pergo, kiu ĉiam iris paroli kun la profesoroj post la lecionoj. Estis Delesar, kiu pretendis esti kuzo de l' Prezidanto de la

Franca Respubliko. Estis Tomaso, kun grandaj flikaĵoj ĉe la genuo sur siaj pantalonoj, kaj Gardiol, kiu tre bele ludis violonon kaj ricevis premion ĉe la muzika lernejo. Estis ankaŭ Stanen, ĉiam malbonodoranta; Belti kaj Travis, kiuj ambaŭ loĝis ekster la urbo. Estis Roĝers, kies patro havis aŭtomobilon. Allen estis Irlandano kaj Zerapumis estis Greko. Estis ankoraŭ kelkaj aliaj plue.

Sed la amiko de Karlo, la vera, la fidela, la plej bona, la plej lerta, estis Janko, kiu estis . . . Janko.

Rakontu skribe la supran ĉapitron.

— 1. Ĉu Karlo sukcesis por la ekzameno? — 2. Je kioma horo komenciĝis la lecionoj? — 3. Ĉu Karlo havis multe da tempo por la tagmanĝo? — 4. Kion li faris post kelkaj semajnoj? — 5. Kiu estis la alnomo de Rigar? — 6. Ĉu Holder estis parolema? — 7. Kie loĝis Belti? — 8. Kiu estis la plej fidela amiko de Karlo?

10. 중고등학생

　카를로는 시험에 합격하여 중고등학교 학생으로 입학했습니다. 아침 수업은 8시에 시작하여 12시까지 계속되었으며 매 시간마다 수업 사이에 10분 쉬는 시간이 있었습니다. 정오가 되자 카를로는 점심 시간에 늦지 않기 위해 서둘러 집으로 가야 했습니다. 오후 수업은 이미 1시 30분에 시작되었기 때문에 후식을 먹은 후에는 즉시 돌아가야 했습니다.

　중고등학교에서 몇 주 동안 공부한 후 카를로는 이미 많은 것을 알게 되었습니다. 카를로는 더 이상 여동생에게 입맞추지 않았습니다. 특히 빗물이 남아 있는 경우에 더 이상 보도로 걷지 않고 보도 옆으로 걸었습니다. 카를로는 쉽고 빠르게 주먹질하기 위해 여러 번 주머니에 손을 넣었다가 빼냈습니다. 여동생이 이해하지 못하는 단어들을 알았습니다. 양말에 구멍이 난 경우가 많았고 때로는 바지에 구멍이 난 경우도 있었습니다. 카를로는 종종 "내 친구 얀코가 그걸 봤어요", "내 친구 델레사르가 이렇게 말했어요", "내 친구 부안조는 멍청한 짓만 해요"라고 말했습니다. 하루가 끝날 때에 카를로의 손은 완전히 시커멓습니다. 카를로는 종종 손톱에 작은 얼굴을 그렸습니다. 정치에 관해 이야기하는 방법을 알아서 "그 어리석은 장관" 또는 "위험한 개, 그 대리인!" 이라고 말했습니다.

카를로는 모든 사람을 똑같이 존중하지 않았기 때문에 지금 중고등학교에 많은 친구 또는 훨씬 더 많은 동지를 갖게 되었습니다. 말을 많이 하는 벨넷과 항상 말을 잘 들어주는 피에트로가 있었습니다. "호박"이라고 불리는 매우 뚱뚱한 리가르가 있었는데, 목욕탕에서 헤엄칠 필요가 없었습니다. 나무 조각처럼 물 위에서 전혀 움직이지 않고 떠 있었습니다. 파울로와 다비도 로이스 형제가 있었는데, 둘은 언제나 공부를 매우 잘했으며 수업 중에 결코 말하거나 떠들지 않았습니다.

항상 아주 조심스럽게 옷을 입고 예의 바르며 항상 창백하고 수줍어하며 삐삐 말라 "병아리"라고 부르는 작은 소년이 있었습니다. 리가르는 소년에 대해 이렇게 말했습니다. "나는 그 아이를 산산조각내는 게 두렵기 때문에 만지고 싶지 않아." 부유한 은행가의 아들 칸이 있었습니다. 항상 과자와 사탕을 사주는 도넬이 있었습니다. 아주 낭송을 잘 하는 라민데, 모든 동물의 우는 소리를 훌륭하게 모방한 세르베티, 매우 관대한 쩨나르, 항상 사려 깊고 조용한 홀데르, 항상 웃고 있는 부안조, 자랑하며 화를 잘 내는 로베르트, 항상 빨간 넥타이를 맨 제빵사의 아들 페테르, 호각을 만든 만이 있었습니다.

수업이 끝나면 교수님들과 이야기를 나누러 항상 가던 페르고가 있었습니다. 프랑스 공화국 대통령의 사촌이라고 주장한 델레사르가 있었습니다. 바지 무릎 부분에 커다랗게 기운 헝겊자국이 있는 토마소도 있었고, 바이올린을 아주 잘 연주해 음악학교에서 상을 받은 가르디올도 있었습니다. 항상 나쁜 냄새가 나는 스타넨도 있었습니다. 도시 밖에서 사는 벨티와 트라비스. 아버지가 차를 가지고 있는 로제르스가 있었습니다. 알렌은 아일랜

드 사람이었고 제라푸미스는 그리스 사람이었습니다. 아
직 몇 명 더 있었습니다.

그러나 진실되고 충실하며 가장 좋고 가장 뛰어난 카
를로의 친구는 얀코였습니다. 이름이… 얀코였습니다.

위 장을 글로 서술해 보세요.

1. 카를로가 시험에 합격했나요?
2. 수업은 몇시에 시작했나요?
3. 카를로는 점심 먹을 시간이 많았나요?
4. 카를로는 몇 주 후에 무엇을 했나요?
5. 리가르의 별명은 무엇이었나요?
6. 홀데르는 수다스러웠나요?
7. 벨티는 어디에 살았나요?
8. 카를로의 가장 믿음직한 친구는 누구였나요?

11. Latina leciono

La profesoro de latina lingvo estis klariganta la duan deklinacion de la substantivoj. Li havis longan barbon, kiu iam estis tute blanka sed kiu flaviĝis iom post iom. Liaj bluaj okuloj montris bonkorecon.

— Lupus, lupi, li diris per sia laŭta kantema voĉo, discipulus, discipuli, jen du substantivoj de la dua deklinacio, la lupo kaj la lernanto. Ili finiĝas nominative per -us, dum la substantivoj de la unua . . . Rigar! vi dormas, ĉu ne? stariĝu! Kiel finiĝas la substantivoj de la unua deklinacio?

Rigar stariĝis silente kaj ekrigardis la profesoron.

— Vi skribu tion ĉi kvindekfoje por morgaŭ: nauta, nautae; insula, insulae, en ĉiuj kazoj!

Rigar residiĝis gratante sian orelon.

— Discipulus, discipuli, discipulum . . . kante klarigis la instruanto. Karlo pripensadis dormeme. Estis tiel varme. Je kio utilas la lernado de la latina lingvo? li pensis. Neniu ĝin parolas nun, lia patro diris. Tamen pri ĝi estis io mistera, io antikva, kiu plaĉis al Karlo. En la latina lingvo estas ĉiuj malnovaj surskribaĵoj, sur la muroj kaj en la preĝejoj. La sinjorinoj ne komprenas la latinan lingvon, nek multaj aliaj personoj. La preĝoj kaj la meso en la katolikaj preĝejoj estas latine dirataj.

Dum Karlo pripensis, lia najbaro Man pacience laboradis. Per sia poŝtranĉilo li jam engravuris sur la benko sian tutan antaŭnomon kaj nun komencis grandan M. Sed bedaŭrinde lia tranĉileto estis tro delikata kaj subite ĝi brue rompiĝis.

La profesoro malrapide alpaŝis.

— "Man, knabo mia, mi devos vin severe puni. Kion vi skribis? Vian nomon? Malsprita amuzaĵo! Morgaŭ vi ne scios ion pri la dua deklinacio. Tiuj benkoj estas en terura stato, ĉiuj estas gravuritaj; vi ne havas iom da respekto al la licea meblaro." Li ekpromenis tra la klaso. "Stanen, ankaŭ vi skribis vian nomon kaj ĝin per makuloj ĉirkaŭis! Delasar, vi desegnis tiun ĉi vizaĝon, ĉu ne?"

Sur ĉiuj benkoj estis efektive desegnaĵoj kaj gravuraĵoj diversaj. Estis tre antikva kutimo de la liceanaj, engravuri sian nomon por lasi memoraĵon al la posteuloj.

"Mi opinias, ke mi devas vin ĉiujn puni," diris la profesoro, daŭrigante sian promenadon inter la benkoj. "Kvankam tiuj tabuloj estas tre malnovaj, vi estas tamen ĉiuj kulpaj, tre kulpaj. Nur bubetoj kaj malsaĝuloj tiel amuziĝas anstataŭ . . ." Subite li haltis paliĝante antaŭ la benko de Gardiol . . . Dum longa momento li silentis. Lia vizaĝo estis blanka. Liaj okuloj ŝajnis ligitaj al la tabulo de tiu benko. Neniu en la klaso kuraĝis moviĝi aŭ eĉ spiri.

"Knaboj, li ekdiris per mallaŭta kaj tremanta voĉo, tie estas gravurita la subskribo de . . . mia patro."

De tiu tago, Karlo havis grandan amon al la profesoro de latina lingvo.

1. Kion diris la profesoro de latina lingvo? — 2. Ĉu Rigar aŭskultis? — 3. Ĉu vi parolas angle? — 4. Kiom de tempo vi lernis Esperanton? — 5. Kion faris Man? — 6. Ĉu la profesoro lin gratulis? — 7. Ĉu la lernantoj sidis sur seĝoj? — 8. Kion ekvidis la profesoro sur unu tablo? — 9. El kiuj lignoj oni faras tablojn? — 10. Nomu la kolorojn, kiujn vi konas.

11. 라틴어 수업

라틴어 교수는 명사의 두 번째 격변화를 설명하고 있었습니다. 교수는 긴 수염을 길렀는데 그것은 한때 완전히 하얗다가 점차 노란색으로 변했습니다. 파란 눈 때문에 마음씨가 착하게 보였습니다.

— 루푸스, 루피, 교수는 노래하듯 큰 목소리로 말했습니다. 디스찌풀루스, 디스찌풀리, 이것들은 두 번째 격변화의 명사 두 개로 늑대와 학생이야. 그것들은 주격일 때 -우스로 끝나고 명사의 첫 번째…. 리가르! 너 자고 있지, 그렇지? 일어나! 첫 번째 격변화의 명사는 어떻게 끝나지?

리가르는 조용히 일어나 교수를 바라보았습니다.

- 내일을 위해 이것을 50번 써. 나우타, 나우타에, 인술라, 인술라에, 모든 격으로!

리가르는 귀를 긁적이면서 제자리에 앉았습니다.

— 디스찌풀루스, 디스찌풀리, 디스찌풀룸…. 선생님이 노래로 설명해 주셨습니다. 카를로는 졸린 채 생각했습니다. 그렇게 더웠습니다. '라틴어를 배우면 무슨 소용이 있나?' 하고 카를로는 생각했습니다. 지금은 아무도 그런 말을 하지 않는다고 아버지가 말씀하셨습니다. 하지만 거기에는 뭔가 신비한 것, 카를로의 마음에 든 고대의 무언가가 있었습니다. 벽과 성당에는 모두 라틴어로 된 오래된 글자판이 있습니다. 여성들은 라틴어를 이

해하지 못하며 다른 많은 사람들도 마찬가지입니다. 가톨릭 성당의 기도와 미사는 라틴어로 말합니다.

카를로가 생각하는 동안 짝꿍인 만은 참을성 있게 일했습니다. 주머니칼로 이미 의자에 자신의 이름 앞 글자를 다 새겨넣었고 이제 대문자 엠을 시작했습니다. 그러나 불행하게도 작은 칼은 너무 섬세해서 갑자기 소리를 내며 부러졌습니다.

교수는 천천히 다가갔습니다.

─"만!, 애야, 너를 엄중히 벌해야 할 것 같구나. 뭐라고 썼느냐? 네 이름을? 바보스런 오락이구나! 내일이면 너는 두 번째 격변화에 대해 아무것도 알 수 없을 거야. 저 의자들은 끔찍한 상태에 있구나. 모두 다 새겨져 있어. 넌 학교 가구에 대해 조금도 존중하는 마음이 없구나." 교수는 교실 안을 돌아다니기 시작했습니다. "스타넨, 너도 네 이름을 쓰고 점으로 동그라미를 쳤구나! 델라사르, 네가 이 얼굴을 그렸구나, 그랬지?"

모든 의자에는 실제로 다양한 그림과 조각이 있었습니다. 후손들에게 기념물을 남기기 위해 자신의 이름을 새기는 것은 학생들의 아주 오래된 풍습이었습니다.

"나는 너희 모두를 처벌해야 한다고 생각해"하고 교수는 의자 사이를 계속 걸어가며 말했습니다. "비록 그 판자가 아주 오래되었지만 너희는 모두 잘못이 있어, 큰 잘못이. 장난꾸러기와 멍청이만이 그런 재미를 누리지, …대신에." 갑자기 교수는 멈춰 서서 가르디올의 의자 앞에서 얼굴이 창백해졌습니다. …오랫동안 침묵했습니다. 얼굴은 하얗게 되었습니다. 눈은 그 의자의 판자에 고정되어 있는 것 같았습니다. 학급의 누구도 감히 움직이거나 숨을 쉬지 못했습니다.

"애들아," 교수는 낮고 떨리는 목소리로 말했습니다. "저기에… 내 아버지의 서명이 새겨져 있구나."

그날부터 카를로는 라틴어 교수를 매우 좋아하게 되었습니다.

1. 라틴어 교수는 뭐라고 말했나요?
2. 리가르가 들었나요?
3. 당신은 영어를 말하나요?
4. 에스페란토를 배운 지 얼마나 됐나요?
5. 만은 무엇을 했나요?
6. 교수님께서 축하해 주셨나요?
7. 학생들은 의자에 앉아 있었나요?
8. 교수님은 한 탁자에서 무엇을 보셨나요?
9. 탁자를 만드는데 어떤 나무가 사용되나요?
10. 당신이 아는 색깔을 말해보세요.

12. La amiko

Tre feliĉa estis Karlo, ĉar li havis veran amikon. Lia nomo estis Janko. Li estis tre altkreska kun nigraj haroj kaj brunaj okuloj. Nur ses monatojn pli aĝa ol Karlo li estis, tamen ĉiuj respektis lin en la klaso pro lia kuraĝo. Efektive nenion li timis kaj li estis plej lojala kaj malkaŝema knabo.

Iam la profesoro de geografio, vidante, ke li oscedas ĉiumomente, lin demandis: "Janko, ĉu vi enuas tie ĉi?" — "Jes, Sinjoro, tre multe," li respondis. Forpelita li estis, sed nur por unu horo.

Janko bonege desegnis kaj ankaŭ pentris. Li havis plej mirindan talenton por prezenti tute precize ies fizionomion per kelkaj krajonaj strekoj, kaj li desegnis en sia kajero la vizaĝon de ĉiuj siaj amikoj. Ke preskaŭ ĉiuj profesoroj ŝatis Jankon, estis facile rimarkebla, kvankam ili ofte ŝajnis lin timi.

Karlo lin samtempe amis kaj respektis. Li ĉiam klopodis esti apud li kaj lin sekvadi. Li tre bedaŭris, ke li ne povas sidi en la klaso apud Janko, kvankam Man estis afabla najbaro. Karlo tre ofte alvenis hejmen malfrue post la fino de la posttagmezaj lecionoj. Kiam lia patrino demandis lin: "Nu, Karlo mia, kion vi faris tiel longe?" — "Mi akompanis Jankon," estis lia ĉiama respondo.

Janko sciis tiom da aferoj! Li estis vera scienculo, kaj Karlo opiniis, ke li jam instruis lin multe pli ol la lecionoj en la liceo. Tamen Karlo ĉiam sentis sin nesciulo apud li, sed Janko neniam mokis lin pri eraro aŭ nescio. Karlo opiniis, ke tio estas pruvo de senfina delikateco en la karaktero de lia amiko.

Estis vera honoro tiel esti protektata de Janko, kaj fiere Karlo ĝuis ĝin. Al Janko li diris ĉiujn sekretojn siajn kaj petis konsilojn en ĉiu embarasanta okazo. Kiam Karlo faris al li demandon pri malfacila afero, li kelkafoje diris: "Mi respondos al vi morgaŭ." La morgaŭan tagon, sen ia forgeso, li alportis plenan informon pri la afero.

Lia patro estis presisto kaj havis grandegan librejon. Kelkafoje Janko pruntis librojn al Karlo kaj eĉ al aliaj knaboj, sed sur la unuan paĝon li ĉiam metis antaŭe per kaŭĉuka stampilo sian nomon kaj la jenajn versojn de fama poeto:

"De pruntita libro jen la nepra sorto:

Ofte ĝi perdiĝas, ĉiam difektiĝas."

Pro sia kontraŭema karaktero, la knaboj preskaŭ ĉiam redonis la librojn en sufiĉe bona stato.

En somero, dum la libertempo, Janko kaj Karlo faris multajn ekskursojn, ĉu piede, ĉu biciklete, kaj ĉiam pligrandiĝis ilia amikeco.

Anstataŭi la streketojn per taŭgaj vortoj.

1. Ĉu Karlo — feliĉa? Jes, li estis — ĉar li havis veran —. 2. — Kiu estis la — de — amiko? Lia — estis Janko. 3. — Ĉu li estis multe — aĝa ol Karlo? Ne, li nur — ses — pli aĝa. 4. Kion demandis la — de geografio? — demandis: Janko, — vi enuas — ĉi? — 5. Ĉu Karlo estis — de Janko? Ne, — ne — najbaro de —. — 6. Ĉu Janko — sciis? Jes, Janko estis — scienculo. — 7. Kion — Karlo al Janko? Li diris siajn —. 8. Ĉu Janko ĉiam tuj — la demandojn? Ne, — li respondis la morgaŭan —. — 9. Kion faris la — de Janko? Li estis —. 10. Kiu viro — la presarton? Gutenberg elpensis la —. 11.— publika biblioteko — via urbo? Jes, en — urbo estas unu — biblioteko.

12. 친구

카를로는 진정한 친구가 있었기 때문에 매우 행복했습니다. 친구의 이름은 얀코였습니다. 검은 머리에 갈색 눈을 가지고 키가 매우 컸습니다. 카를로보다 고작 6개월 더 나이가 많았지만, 학급의 모든 학생들은 얀코의 용기를 높이 여겼습니다. 사실 얀코는 아무것도 두려워하지 않았고 가장 의리가 있고 솔직한 소년이었습니다.

지리학 교수는 얀코가 계속해서 하품하는 것을 보고 "얀코, 여기서 지루하니?" 라고 물었습니다. "예, 선생님, 아주 많이요" 얀코가 대답했습니다. 얀코는 교실 밖으로 쫓겨났지만 오직 한 시간 동안이었습니다.

얀코는 아주 잘 묘사하고 그리기도 잘 했습니다. 연필을 몇 번 끄적거려서 누군가의 인상을 아주 정확하게 표현하는 데 매우 놀라운 재능을 갖고 있었으며, 자신의 공책에 모든 친구들의 얼굴을 그렸습니다. 거의 모든 교수들이 얀코를 두려워하는 것처럼 보였지만 좋아함을 쉽게 알 수 있었습니다.

카를로는 얀코를 사랑하고 동시에 존경했습니다. 항상 얀코의 옆에 있고 뒤따라하려고 노력했습니다. 만이 좋은 짝꿍임에도 불구하고 얀코 옆에 앉지 못하는 것이 매우 유감이었습니다. 카를로는 오후 수업이 끝난 후 매우 자주 집에 늦게 돌아왔습니다. 어머니가 "글쎄, 카를로야, 그렇게 오랫동안 뭐하고 있었니?" 하고 물었을 때 "

얀코와 함께 있었어요."가 카를로의 평소 대답이었습니다.

얀코는 많은 것을 알고 있었습니다! 얀코는 진짜 과학자였으며 카를로는 자신이 중고등학교에서 배운 것보다 훨씬 더 많은 것을 얀코가 이미 자신에게 가르쳤다고 생각했습니다. 그러나 카를로는 얀코의 옆에서 항상 무지함을 느꼈지만 얀코는 결코 카를로의 실수나 무지를 놀리지 않았습니다. 이것은 친구의 성격이 한없이 섬세하다는 증거라고 카를로는 생각했습니다.

그렇게 얀코의 보호를 받게 된 것은 정말 영광이었고 카를로는 그것을 자랑스럽게 즐겼습니다. 얀코에게 자신의 모든 비밀을 말했고 모든 난처한 상황에 대해 조언을 구했습니다. 얀코에게 어려운 문제를 질문하면 얀코는 때때로 "내일 답변해 줄게."라고 말했습니다. 다음날 얀코는 어떤 것도 잊지 않고 그 문제에 관한 모든 정보를 가져왔습니다.

얀코의 아버지는 인쇄업자였고 아주 큰 서점을 운영하고 있었습니다. 때때로 얀코는 카를로와 심지어 다른 소년들에게 책을 빌려 주었지만 첫 페이지에는 항상 고무도장과 함께 자신의 이름과 유명한 시인의 다음 구절을 먼저 써 두었습니다.

"빌린 책에 의하면 피할 수 없는 운명이 있습니다.

자주 잃어버리고, 항상 손상됩니다."

그들의 반항적인 성격으로 인해 소년들은 거의 항상 꽤 좋은 상태로 책을 반납했습니다.

여름에 방학 동안 얀코와 카를로는 도보나 자전거로 여행을 많이 떠났고 그들의 우정은 늘 더 커졌습니다.

하이픈을 적절한 단어로 대체하세요.

1. Ĉu Karlo — feliĉa? Jes, li estis — ĉar li havis veran —.

2. — Kiu estis la — de — amiko? Lia — estis Janko.

3. — Ĉu li estis multe — aĝa ol Karlo? Ne, li nur — ses — pli aĝa.

4. Kion demandis la — de geografio? — demandis: Janko, — vi enuas — ĉi? —

5. Ĉu Karlo estis — de Janko? Ne, — ne — najbaro de —. —

6. Ĉu Janko — sciis? Jes, Janko estis — scienculo. —

7. Kion — Karlo al Janko? Li diris siajn —.

8. Ĉu Janko ĉiam tuj — la demandojn? Ne, — li respondis la morgaŭan —. —

9. Kion faris la — de Janko? Li estis —.

10. Kiu viro — la presarton? Gutenberg elpensis la —.

11.— publika biblioteko — via urbo? Jes, en — urbo estas unu — biblioteko.

13. Sur la rivero

La jaroj rapide forpasis kaj Karlo ĵus eniĝis la gimnazion, kiu estas la pli alta parto de la liceo. Preskaŭ la samajn kamaradojn li havis kiel en la unuaj jaroj. Malmultaj forlasis la lernejon kaj nur unu novulo envenis en la klason de Karlo. Janko ĉiam estis lia fidela amiko kaj lin nun ofte hejmen venigis por diskutadi kaj esplori librojn. Jam de unu jaro Man ne plu sidis apud Karlo, sed estis anstataŭita unue de Laminde, due de Servetti kaj fine de Janko mem.

Iun matenon en somero, estis tiel varme en la klaso, ke preskaŭ ĉiuj ekdormis. Janko diris al Karlo: "Estas neeble restadi tie ĉi, ĉu ni foriru? — Kien? — Ien ajn. Sur la riveron, ekzemple, ni povus lui boaton." Karlo komprenible entuziasmiĝis je la ideo, kvankam li timis iomete.

Inter du lecionoj, kiam ĉiuj aliaj iris momenton babiladi aŭ kuradi en la korto, ambaŭ rapide trapasis la pordegon kun Servetti, kaj tuj aliris la angulon de la plej proksima strato. Neniu estis vidinta ilin. Ŝajnis strange al Karlo promenadi en la urbo matene. De tiom longe li tion ne faris estante ĉiam en la liceo je tiu tempo.

Ili iris al la bordo de l' rivero. Ili baldaŭ alvenis al boatejo. Janko elektis mallarĝan boaton kaj sidiĝinte, ili ekremis norden. Servetti opiniis, ke estus pli amuze remi komence kontraŭ la fluo de l' rivero kaj reveni poste tute ne remante. Lia propono estis tuj akceptata. La vetero estis belega: sur ambaŭ bordoj de l' rivero la kampoj kaj arbaretoj estis tre verdaj kaj tute dezertaj. Nur la birdojn oni aŭdis kaj la regulan bruadon de la remiloj.

Baldaŭ ili pasis tra loko, kie grandaj salikoj klinitaj super la rivero banis siajn branĉetojn en la akvo. La knaboj malrapidigis sian remadon. Estis dolĉa silento. Ili pensis pri siaj kompatindaj kamaradoj, nun lernantaj grekajn verbojn en la klaso.

Karlo estus dezirinta reveni por la lasta leciono je la dekunua, ĉar li tre amis la profesoron de historio. (Tiu estis la altkreska viro kun bela nigra barbo, kiu diktis la ekzamenajn demandojn, kiam knabeto Karlo la unuan fojon sidis sur benko de la liceo). Eltirinte sian poŝhorloĝon, Karlo ekvidis, ke estas jam tro malfrue.

Ili forlasis la remadon, kaj la boato malrapide kaj dolĉe suden iris portate de la riverfluo. Ili ekkantis, kaj ilia voĉo ĝoje sonis inter la arboj. Jam la domoj de la urbo ekaperis inter la branĉoj kaj baldaŭ ili realvenis al la boatejo.

Ĉiuj rapidis hejmen, ekpensante pri tio, kio okazos, kiam ili reiros la liceon posttagmeze. Ĉe angulo de strato Karlo renkontis . . . la profesoron de historio. Li forprenis sian ĉapelon. La profesoro haltante nur diris: "Bonan tagon, Davis; vi venu al mia domo morgaŭ je la kvara kaj duono; mi havas ion por diri al vi." Kaj li forpasis.

1. Kio estas la gimnazio? — 2. Kiujn kamaradojn havis Karlo? — 3. Kion diris Janko al Karlo iun matenon? — 4. Ĉu Karlo akceptis la proponon? — 5. Kion faris la tri junuloj? — 6. Ĉu la pluvo falis? — 7. Kion eltiris Karlo el sia poŝo? — 8. Kioma horo estas nun? — 9. Ĉu vi scias remi kaj naĝi? — 10. Kion diris la profesoro al Karlo?

13. 강에서

세월은 빠르게 흘러 카를로는 중고등학교의 더 높은 부분인 고등부에 막 들어갔습니다. 친구들은 첫해와 거의 같았습니다. 학교를 떠난 사람은 거의 없었고 카를로의 반에는 새로 온 학생이 단 한 명뿐이었습니다. 얀코는 항상 충실한 친구였으며 지금은 종종 카를로를 집으로 오게해서 책에 대해 토론하고 연구했습니다. 이미 1년전부터 만은 더 이상 카를로 옆에 앉지 않고 처음에는 라민데로, 두 번째는 세르베티로, 마지막에는 얀코로 교체되었습니다.

어느 여름날 아침, 수업 시간이 너무 더워서 거의 모든 학생들이 잠들었습니다. 얀코는 카를로에게 말했습니다. "여기 계속 있는 것은 불가능해. 멀리 나갈까?" "어디로?" "어디든지. 예를 들어 강에서 배를 빌릴 수 있잖아." 카를로는 비록 조금 겁이 났지만 물론 그 계획에 열광했습니다.

두 수업 사이에 다른 아이들이 잠시 이야기를 나누거나 마당에서 뛰놀고 있을 때, 둘은 세르베티와 함께 재빨리 정문을 통과하여 가장 가까운 거리의 모퉁이로 곧장 갔습니다. 아무도 그들을 보지 못했습니다. 카를로에게는 아침에 도시를 걷는 것이 이상하게 보였습니다. 그당시 항상 중고등학교에 있었기 때문에 오랫동안 그렇게 하지 않았습니다.

그들은 강가로 갔습니다. 곧 나루터에 도착했습니다. 얀코는 좁은 배를 선택해 앉은 뒤 그들은 북쪽으로 노를 젓기 시작했습니다. 세르베티는 처음에는 강물의 흐름을 거슬러 노를 저었다가 전혀 노를 젓지 않고 돌아오는 것이 더 재미있을 것이라고 의견을 냈습니다. 그 제안은 즉시 받아들여졌습니다. 날씨는 정말 아름다웠고, 양쪽 강가의 들판과 숲은 매우 푸르고 인적이 전혀 없었습니다. 새소리와 규칙적으로 노 젓는 소리만이 들렸습니다.

곧 그들은 강 위로 숙인 커다란 버드나무들이 가지를 물에 적시고 있는 곳을 지나갔습니다. 소년들은 노를 천천히 저었습니다. 달콤한 침묵이 흘렀습니다. 그들은 지금 수업 시간에 그리스어 동사를 배우고 있는 불쌍한 동료들을 생각했습니다.

카를로는 역사 교수를 매우 좋아했기 때문에 11시 마지막 수업을 위해 돌아오고 싶었습니다. (그 사람은 어린 소년 카를로가 처음으로 중고등학교 의자에 앉았을 때 시험 문제를 읽어주었던 아름다운 검은 수염을 가진 키가 큰 남자였습니다.) 휴대용시계를 꺼낸 카를로는 이미 너무 늦었다는 것을 깨달았습니다.

그들이 노 젓기를 그만두자 배는 강의 흐름을 따라 천천히 남쪽으로 향했습니다. 그들은 노래를 불렀고 그들의 목소리는 나무들 사이에 즐겁게 울려 퍼졌습니다. 이미 도시의 집들이 나뭇가지 사이에 나타났고 곧 그들은 나루터로 돌아왔습니다.

오후에 중고등학교로 돌아가면 무슨 일이 벌어질지 생각하며 다들 서둘러 집으로 갔습니다. 길 모퉁이에서 카를로는… 역사 교수를 만났습니다. 카를로는 모자를 벗었습니다. 멈춰선 교수는 "안녕, 다비스. 내일 4시 30분에 우리 집에 와. 뭔가 네게 할 말이 있어."라고만 말했습니다. 그리고 떠나갔습니다.

1. 고등부는 무엇인가요?
2. 카를로에게는 어떤 친구가 있었나요?
3. 어느 날 아침 얀코가 카를로에게 뭐라고 말했나요?
4. 카를로가 그 제안을 받아들였나요?
5. 세 젊은이는 무엇을 했나요?
6. 비가 내렸나요?
7. 카를로는 주머니에서 무엇을 꺼냈나요?
8. 지금은 몇시인가요?
9. 노를 젓고 수영하는 법을 아나요?
10. 교수님이 카를로에게 뭐라고 말씀하셨나요?

14. La profesoro de historio

La morgaŭan tagon, la klaso de Karlo ne havis lecionon de greka lingvo, ĉar la profesoro forestis, malsana. Janko, Servetti kaj Karlo opiniis, ke ĉi tiun tagon la ŝanco ilin favoras. Sed restis la profesoro de historio, kiu sendube ion diros. Kiam, je la dekunua kaj dek minutoj precize li eniris la klason, la tri kune ektimis kaj tute speciale Karlo. Sed S-ro Jehmann tuj komencis sian kurson pri la regado de l' imperiestro Trajano kaj diris nenion pri la forvago de la tri knaboj. Karlo tiom pli timis la petitan viziton je duono post la kvara.

S-ro Jehman estis tute ne riĉa kaj havis kvar junajn infanojn. Lia edzino estis bela Italino el Bolonjo. Ŝi verkis ofte artikolojn por italaj revuoj kaj gazetoj. S-ro Jehman ĉiuprintempe veturis Italujon kun ŝi, ĉe la paska libertempo. Ambaŭ estis artistoj. Ili konis en Italujo ĉiujn preĝejojn, templojn kaj palacojn, kie estas majstraj pentraĵoj.

La lastan jaron, kiam ili revenis, S-ino

Jehman trinkis glason da glacia limonado ĉe la stacio en Milano. Neniam oni sciis, ĉu tro malvarma, ĉu venenita ĝi estis. Sed post apenaŭ unu horo ŝi mortis. Estis terure. S-ro Jehman kvazaŭ bedaŭris, ke li ne ankaŭ trinkis limonadon. Sed li havis kvar infanojn. Reveninte hejmen, li devis klarigi al ili, ke sian patrinon ili neniam revidos. Nun la avino loĝadis tie kaj zorgis pri la infanoj, dum la patro instruadas. Sed S-ro Jehman perdis sian ĝojon; li nun malmulte parolis, malofte ridetis. Lia vizaĝo rapide maljuniĝis. Nur liaj brilaj okuloj montris ankoraŭ pli da bonkoreco kaj kompatemo.

Karlo pensis pri ĉio ĉi, posttagmeze, irante al lia domo. Li sonorigis ĉe la pordo. Servistino lin kondukis al la laborĉambro de S-ro Jehman.

La profesoro leviĝis kaj premante la manon de Karlo: "Davis," li diris, "mi ĝojas vin vidi tie ĉi, sidiĝu. Vi demandis min antaŭ kelkaj tagoj pri la kluboj kaj societoj en Romo ĉe la tempo de Cicero. Jen estas du libroj, en kiuj vi trovos informojn pri tio; mi krajone notis la interesajn paĝojn. Mi jam alportis ilin por vi hieraŭ en la liceon." Karlo estis tre konfuzita. "Sinjoro," li diris, "mi dankas vin, vi estas tro bona al mi . . . Hieraŭ mi remadis sur la rivero dum via leciono. Mi petas vian pardonon, mi certe estas tre kulpa . . ." — "Ne plu parolu pri tio," diris S-ro Jehman, "mi ja rimarkis, ke Janko, Servetti kaj vi forestis, kaj vidante la belan veteron, mi iom suspektis la veron. Mi scias, ke forvagado estas tre poezia afero kaj dolĉaĵo por liceanoj. Tamen atentu! Perdinte lecionojn, vi estos malhelpata en via studado kaj bezonos hejme laboradi pli longe. Nu, prenu la librojn kaj revenu iam min viziti. Mi ĉiam plezure kunparolos kun vi kaj vin helpos laŭpove." Kortuŝite eliris Karlo kaj ekpensis, ke li neniam vidis pli bonan manieron puni lernanton.

1. Ĉu Karlo havis — de greka — la morgaŭan tagon? Ne, ĉar la — estis malsana. — 2. S-ro Jehman diris ion al la — ? Ne, li diris — ? 3. — da infanoj havis la profesoro? — havis — 4. Kie — lia edzino? Ŝi mortis — Milano. 5. — donis la — al Karlo? Du librojn. 6. Ĉu la profesoro — Karlon? —, li — punis —.

14. 역사 교수

다음 날, 카를로의 반에서는 교수가 몸이 아파 결석했기 때문에 그리스어 수업이 없었습니다. 얀코, 세르베티 및 카를로는 오늘 기회가 자신들에게 유리하다고 생각했습니다. 그러나 분명히 무언가를 말할 역사 교수는 남아있었습니다. 정확히 11시 10분에 교수님이 수업에 들어왔을 때, 세 사람은 모두 겁을 먹었고, 특히 카를로는 더욱 놀랐습니다. 그러나 예만 선생님은 즉시 트라야노 황제의 통치에 대한 강의를 시작했고 세 소년의 수업에 빠진 것에 대해서는 아무 말도 하지 않았습니다. 카를로는 4시 반에 오라는 요청을 더욱 두려워했습니다.

예만 선생님은 전혀 부자가 아니었고 네 명의 어린 자녀를 두었습니다. 아내는 볼로냐 출신의 예쁜 이탈리아인이었습니다. 아내는 종종 이탈리아 잡지와 신문에 기사를 썼습니다. 예만 선생님은 매년 봄, 부활절 방학에 아내와 함께 이탈리아를 여행했습니다. 둘 다 예술가였습니다. 그들은 훌륭한 그림이 있는 이탈리아의 모든 성당, 사원, 궁전을 알고 있었습니다.

작년에 그들이 돌아왔을 때 예만 여사는 밀라노 역에서 차가운 레모네이드 한 잔을 마셨습니다. 너무 추웠는지 아니면 중독됐는지 누구도 전혀 알 수 없었습니다. 그러나 한 시간도 안 되어 여사가 죽었습니다. 그것은 끔찍했습니다. 예만 선생님은 자신도 레모네이드를 마시지 않은 것을 후회하는 것 같았습니다. 하지만 네 명의 자녀가 있었습니다. 집에 돌아와서 그들에게 다시는 어머니를 볼 수 없을 것이라고 설명해야 했습니다. 지금은 아버지가 가르치는 동안 할머니가 그곳에 사시면서 아이들을 돌보아 주셨습니다. 그러나 예만 선생님은 기쁨을 잃었습니다. 이제 말을 거의 하지 않고 거의 웃지 않았습니다. 얼굴은 빠르게 늙어갔습니다. 밝은 눈만이 여전히 마음착하고 친절함을 보여주었습니다.

카를로는 오후에 교수의 집으로 가면서 이 모든 것을 생각했습니다. 문에서 초인종을 눌렀습니다. 하녀가 카를로를 예만 선생님의 서재로 데려갔습니다.

교수는 일어나 카를로와 악수를 하면서 "다비스" 하고 말했습니다. "여기에서 보게 되니 기쁘구나. 앉아라. 며칠 전에 키케로 당시 로마의 구락부와 단체에 대해 물었지. 거기에 대한 정보를 찾을만한 책이 두 권 있어. 흥미로운 쪽에 연필로 적어 놓았어. 이미 어제 너를 위해 학교에 가져갔었지." 카를로는 매우 당황했습니다. "선생님" 하고 카를로가 말했습니다. "감사합니다. 선생님은 저에게 너무나 좋은 분이십니다. … 어제 선생님의 수업 중에 강에서 노를 저었습니다. 죄송합니다. 확실히 크게 잘못했습니다." "더 이상 그것에 대해 이야기하지 마라."고 예만 선생님은 말했습니다. "얀코, 세르베티와 네가 수업시간에 없는 것을 알았고, 아름다운 날씨를 보고 어느 정도 사실을 의심했어. 멀리 떠돌아다니는 것이 중고등학교 학생들에게 매우 시적이고 달콤한 것임을 알지. 하지만 조심해! 수업에 빠지면 공부에 방해가 되고 집에서 더 오랫동안 공부해야 할 거야. 그럼, 책을 가지고 가고 언젠가 돌려주러 나를 찾아오렴. 항상 기쁘게

너랑 이야기를 나누고 가능한 한 너를 도와줄게." 카를
로는 감동을 받아 집을 나왔고 학생에게 벌주는 더 좋은
방법을 결코 본 적이 없다는 생각이 들었습니다.

1. Ĉu Karlo havis — de greka — la
morgaŭan tagon? Ne, ĉar la — estis malsana.
2. S-ro Jehman diris ion al la — ? Ne, li diris
— ?
3. — da infanoj havis la profesoro? — havis
—
4. Kie — lia edzino? Ŝi mortis — Milano.
5. — donis la — al Karlo? Du librojn.
6. Ĉu la profesoro — Karlon? —, li — punis
—.

15. La sekreto de Karlo

Ĉiudimanĉe la familio Davis iris al la ĉefpreĝejo, matene je duono post la deka. Ĝi estis tre malnova katedra preĝejo, ekkonstruita en la centjaro de la imperiestro Karlo Granda.

Dum la orgeno eksonis laŭtege, ĉe la komenco de l' diservo, Karlo sidiĝinte apud siaj gepatroj okule serĉadis iun sur la benkoj antaŭ si. Li estis maltrankvila ĝis li rekonis blondan hararon kun blua rubando, kiu ĉiudimanĉe aperis tie. Lumigata de sunradio falinta tra la koloraj vitraĵoj, la blonda hararo brilis kvazaŭ oro inter la nigriĝintaj kolonoj de l' antikva templo. Tiu vidaĵo trankviligis la animon de Karlo, kaj post la preĝoj li ne movis plu siajn okulojn dum la tuta predikado de l' pastro. Post la diservo Karlo kutime zorgis por vidi la junulinon elirantan; kaj ĉiufoje li konvinkiĝis, ke ŝi havas belege bluajn okulojn.

Iam promenante tra l' artmuzeo kun amiko, li vidis ŝin admire starantan antaŭ pentraĵo de itala majstro. Li komprenuble haltis antaŭ la sama. Ŝi tre ruĝiĝis; sed de tiu tempo, ĉiudimanĉe ili ofte ekrigardis unu la alian elirante el la ĉefpreĝejo. Ŝi ĝenerale estis sola kun sia patrino, sed kelkafoje ili salutis kaj alparolis alian sinjorinon, kiu eliris el preĝejo kun kvar gefiloj. Karlo iam aŭdis ŝin diri al ili: "Vi do venos ludi en la Nacian Parkon hodiaŭ posttagmeze, ĉu ne?"

Post iom da pripensado Karlo decidis, ke li ankaŭ iros al la parko posttagmeze. Tie li havis mirindan ŝancon, ĉar promenante apud la ludkampo, li dufoje havis okazon redoni al ŝi pilkon falintan sur la vojon aŭ perditan sub arboj. Ŝia rideto kaj danko lin strange konfuzis. La postan dimanĉon, li sekvis ŝin de malproksime por vidi, kie ŝi loĝas. Ĝi estis ekster la urbo sur strato bordita de arboj kaj ĝardenoj. Ŝi eniris en kastelforman dometon kun belega florĝardeno plena je rozoj.

Karlo jam ofte rimarkis tiun domon antaŭe, sed ŝajnis al li, ke ĝis nun ĝi ĉiam estis fermita; kaj li kredis, ke ĝi estas neluita. Kredeble ŝia familio ĵus luis aŭ aĉetis la domon.

De tiam Karlo ofte vagadis ĉirkaŭ tiu loko, esperante ŝin ŝance ekvidi. Unu vesperon li vidis ŝin promeni kun ŝia patro en la ĝardeno. Alian fojon li aŭdis ŝin kanti tra malfermita fenestro. Tio lin feliĉigis por multaj tagoj. Jam lia fratino kaj liaj kolegoj ĉe la gimnazio multe miris pri lia ofta revemeco.

Unu tagon li trovis ŝian domon tute fermita: Teruran baton li ricevis en la koro. Reveninte la morgaŭan tagon li same vidis. Ŝi eble forveturis kun la tuta familio. Sed kien? En la ĝardeno kelkaj nigraj birdoj pepante interbataletis. Karlo jam kredis, ke lia tuta vivo estas ruinigita.

Li decidis diri al Janko sian sekreton kaj peti lian helpon.

Rakontu skribe la supran ĉapitron.

1. Kion faris la familio Davis dimanĉe? — 2. Ĉu la katedra preĝejo estis nova? — 3. Kiun renkontis Karlo en la muzeo? — 4. Kion diris la fraŭlino iun tagon? — 5. Kion faris Karlo? — 6. Kie loĝis la fraŭlino? — 7. Nomu kelkajn florojn kaj diru, kiun vi preferas? — 8. Kiuj birdoj estis en la ĝardeno?

15. 카를로의 비밀

 일요일마다 다비스 가족은 오전 10시 30분에 대성당으로 갔습니다. 그것은 샤를마뉴 황제의 100주년에 지어진 매우 오래된 가톨릭 성당이었습니다.

 오르간이 우렁차게 연주되는 동안, 예배가 시작될 때 카를로는 부모님 옆에 앉아 자기 앞 좌석에서 누군가를 계속 찾았습니다. 일요일마다 그 자리에 나타나는 파란색 머리띠를 한 금발을 알아볼 때까지 카를로는 불안했습니다. 색색의 유리창을 통해 떨어지는 햇빛을 받아 금발은 고대 사원의 검게 변한 기둥 사이에서 황금처럼 빛났습니다. 그 광경은 카를로의 마음을 진정시켰고, 기도가 끝난 후 신부가 강론하는 동안 카를로는 더 이상 눈을 움직이지 않았습니다. 예배가 끝난 후 카를로는 나가는 젊은 아가씨를 보려고 보통 잘 살폈습니다. 그리고 매번 아가씨가 무척 아름다운 파란 눈을 가지고 있다고 확신했습니다.

 한번은 친구와 함께 예술박물관을 걷던 중 이탈리아 거장의 그림 앞에서 감탄하며 서 있는 아가씨를 보았습니다. 물론 카를로는 같은 그림 앞에서 멈췄습니다. 아가씨는 매우 얼굴을 붉혔습니다. 그렇지만 그 때부터 그들은 일요일마다 대성당에서 나오면서 서로 자주 쳐다보았습니다. 아가씨는 일반적으로 어머니와 단둘이 있었지만 때때로 그들은 네 자녀를 데리고 성당에서 나온 다른 여성에게 인사하고 말을 걸었습니다. 언젠가 카를로는 아가씨가 그들에게 "그럼 오늘 오후에 국립공원에 놀러 오실 거죠?" 하고 말하는 것을 들었습니다.

조금 생각한 뒤에 카를로도 오후에 공원에 가기로 마음먹었습니다. 거기에서 카를로는 놀라운 기회를 얻었습니다. 놀이터에서 돌아다니는 동안 길에 떨어지거나 나무 아래에서 잃어버린 공을 아가씨에게 돌려 줄 기회가 두 번 있었기 때문입니다. 아가씨의 미소와 감사는 카를로를 이상하게 뒤숭숭하게 만들었습니다. 다음 일요일에 카를로는 아가씨가 어디에 사는 지 보려고 멀리서 뒤를 따라갔습니다. 그것은 도시 외곽의 나무와 정원이 늘어선 거리에 있었습니다. 아가씨는 장미가 가득해 무척 아름다운 꽃밭이 있는 성 모양의 집으로 들어갔습니다.

카를로는 이전에도 그 집을 자주 보았지만 지금까지 그 집은 항상 닫혀 있었던 것 같았습니다. 그래서 그것은 임차인이 없다고 믿었습니다. 아마도 아가씨의 가족은 집을 막 임대했거나 구입했을 것입니다.

그때부터 아가씨를 운좋게 보기를 바라며 카를로는 그곳 둘레를 자주 돌아다녔습니다. 어느 날 저녁 아가씨가 자신의 아버지와 함께 정원에서 산책하는 것을 보았습니다. 또 한번은 열린 창문을 통해 아가씨가 노래하는 것을 들었습니다. 그것은 카를로를 수많은 날 동안 행복하게 만들었습니다. 벌써 여동생과 학교 친구들은 카를로가 자주 환상에 빠지는 것에 매우 놀랐습니다.

어느 날 카를로는 아가씨의 집이 완전히 닫혀 있는 것을 발견했습니다. 가슴에 끔찍한 충격을 받았습니다. 다음날 다시 왔을 때 똑같은 것을 보았습니다. 아가씨는 온 가족과 함께 떠났을 수도 있습니다. 하지만 어디로?

정원에서는 검은 새 몇 마리가 서로 시끄럽게 지저귀고 있었습니다. 카를로는 이미 자신의 인생 전체가 망가졌다고 믿었습니다.

그래서 얀코에게 자신의 비밀을 말하고 도움을 요청하기로 마음먹었습니다.

위 장을 글로 서술해 보세요.

1. 다비스 가족은 일요일에 무엇을 했나요?
2. 가톨릭 성당은 새 것이었나요?
3. 카를로는 박물관에서 누구를 만났나요?
4. 어느 날 그 아가씨가 뭐라고 말했나요?
5. 카를로는 무엇을 했나요?
6. 그 아가씨는 어디에 살았나요?
7. 꽃 이름을 말하고 어떤 꽃을 더 좋아하는지 말해보세요.
8. 정원에는 어떤 새들이 있었나요?

16. Ĉagrenoj

Post kelkaj tagoj Janko povis doni al sia amiko la sekvantajn informojn pri la mistera domo: ĝi apartenas al profesoro de la Kalkuta Universitato. De dudek jaroj li vivadas en Hindujo kun sia familio; kaj nur trifoje li jam revenis pasigi kelkajn monatojn en la urbo. La junulino estas sendube lia filino, ĉar oni scias, ke li havas nur unu infanon. Tiuj sciigoj ne estis tute ĝojigaj por Karlo.

Reveninte hejmen unu tagon, li trovis sian fratinon ploranta: la avo mortis. Gesinjoroj Davis jam foriris al lia domo kun onklo Jako, kiu venis ilin sciigi. Karlo tuj remetis sian ĉapelon, kuris al tramveturilo kaj baldaŭ alvenis en la avan domon. Suprenirinte la ŝtuparon, li kvazaŭ ne plu povis spiri. Ĉiaj ideoj kaj sentoj miksiĝis en lia cerbo. Li miris, ĉu li bone komprenis, kion Heleno diris. Ĉu vere li neniam plu vidos la bonan avon, tiel bonkoran? Lia patro malfermis la pordon kaj premante sian filon al sia brusto, lin kisis multfoje. Karlo ekploris. Lia patrino kondukis lin al la ĉambro de l' mortinto.

Tie sur lito kuŝis la avo, kun vizaĝo tute blanka. Li ŝajnis dormanta. Estis nenia rideto sur liaj lipoj, sed tamen aspekto kvieta kaj fida. Longe restadis Karlo apud la korpo de sia avo. Li repensis pri la tempo, kiam li aŭskultis rakontojn sur liaj genuoj; pri la gajaj vesperoj kun li pasigitaj; pri liaj ŝercoj kaj vojaĝaj aventuroj; pri lia bonkoreco al ĉiuj.

Iam al Karlo la avo diris: En ĉiu homo estas anĝelo kaj diablo. Tre ofte unu el ambaŭ estas multe pli potenca, ol la alia. Eĉ kiam ĝi estas la diablo ĉiam serĉu la anĝelon. Forgesu la difektojn de l' aliaj, memoru iliajn bonajn ecojn. Ĉiam parolu al ilia bona parto, neniam al la malbona. Tiel vi kuraĝigos multajn homojn kaj vin mem feliĉigos. Vi plifortigos la bonajn ecojn kaj ekdetruos la malbonajn. La avo tiel bone sciis trovi la bonajn ecojn de ĉiu!

La tagon de l' funebro la domo de l' avo estis plena de floraj bukedoj kaj kronoj donacitaj de amikoj de la familio. Vizitantoj alvenadis ĉiumomente, redirantaj ĉiam la samajn kutimajn frazojn. Kiel ĉio ĉi estis dolora, teda, dum Karlo volus esti sola, trankvila kun siaj gepatroj!

Post la diservo en la preĝejo, ĉiuj iris al la tombejo, sekvante la funebran ĉerkoveturilon.

La tombejo estis malseka pro ĵusa pluvo. Ĉiuj kunvenis ĉirkaŭ senherba loko. Estis granda fosaĵo en la tero kaj planko ambaŭflanke. Oni glitigis la ĉerkon malsupren kaj ĝin tuj rekovris per tero. La pastro ekpreĝis, sed Karlo pripensis malĝoje. En liaj oreloj ankoraŭ sonis la bruo de la tero falanta sur la ĉerkon. Tien oni metis lian karan avon.

Jam la personoj disiĝis por reiri hejmen. Pasante inter la aliaj tomboj, Karlo malĝoje ekpensis pri ĉiuj, kiuj jam kuŝas tie sub la tero.

1. Ĉu Janko povis — al sia — informojn? Jes, — povis, post kelkaj —. 2. — mortis en la — de Karlo? Lia —. 3. Kie — la avo? — — lito. 4. — oni kondukis la — ? Al la tombejo. 5. Per — oni rekovris la — ? Oni rekovris — per tero. 6. — kio pensis Karlo? — pensis pri la —, kiuj jam kuŝas sub la —.

16. 슬픔

며칠 후 얀코는 친구에게 신비한 집, 그 집은 캘커타 대학교 교수의 것이라는 정보를 줄 수 있었습니다. 교수는 가족과 함께 20년 전부터 인도에서 살았고, 도시에서 몇 달을 보내기 위해 세 번만 돌아왔습니다. 교수에게는 아이가 한 명뿐인 것으로 알려져 있기 때문에 그 아가씨는 분명히 교수의 딸입니다. 이 소식은 카를로에게 전혀 기쁘지 않았습니다.

어느 날 집에 돌아왔을 때 카를로는 할아버지가 돌아가셨다고 여동생이 우는 것을 발견했습니다. 다비스 부부는 소식을 전하러 온 야코 삼촌과 함께 벌써 할아버지 집으로 떠났습니다. 카를로는 즉시 모자를 다시 쓰고 전차로 달려가 곧 할아버지 집에 도착했습니다. 계단을 올라간 뒤 카를로는 더 이상 숨을 쉴 수 없었습니다. 머릿속에는 온갖 생각과 감정이 뒤섞였습니다. 카를로는 헬렌이 말한 것을 제대로 이해했는지 기이하게 여겼습니다. 이렇게 마음착하고 좋은 할아버지를 다시는 볼 수 없다는 게 사실인가요? 아버지는 문을 열고 아들을 가슴에 안고 여러 번 입을 맞추었습니다. 카를로는 울기 시작했습니다. 어머니는 카를로를 돌아가신 할아버지의 방으로 데려갔습니다.

거기 침대 위에는 얼굴이 완전히 하얗게 굳은 할아버지가 누워 있었습니다. 주무시고 계신 것 같았습니다.

입가에 미소는 없었지만 여전히 차분하고 믿는 표정이었습니다. 카를로는 할아버지의 시신 옆에서 오랫동안 머물렀습니다. 할아버지 무릎위에서 이야기를 듣던 시절, 할아버지와 함께 보낸 즐거운 저녁, 할아버지의 농담과 여행 모험, 모든 사람에 대한 할아버지의 친절함을 회상했습니다.

언젠가 할아버지께서 카를로에게 "모든 사람 안에는 천사와 악마가 있다" 고 말씀하신 적이 있습니다. "둘 중 하나가 다른 것보다 훨씬 더 강력한 경우가 매우 많다. 그것이 악마일지라도 항상 천사를 찾아라. 다른 사람의 결점은 잊어버리고, 그들의 좋은 점을 기억해라. 항상 그들의 좋은 부분에 대해 이야기하고, 결코 나쁜 부분에 대해 이야기하지 마라. 이렇게 하면 많은 사람들을 격려하고 자신을 행복하게 만들 수 있다. 너는 좋은 특성을 강화하고 나쁜 특성을 파괴할 것이다." 할아버지는 모든 사람의 좋은 특성을 찾는 방법을 너무나 잘 알고 계셨습니다!

장례식 당일 할아버지 집에는 가족의 친구들이 기증한 꽃다발과 화환이 가득했습니다. 조문객들은 도착해서 매번 늘 똑같은 말을 반복했습니다. 카를로는 부모님과 함께 차분하게 조용히 있기를 원했는데, 이 모든 일은 얼마나 고통스럽고 지루한 일이었습니까!

성당의 미사가 끝난 후 모두 영구차를 따라 묘지로 향했습니다. 최근 비로 인해 묘지가 젖어 있었습니다. 모두 풀이 없는 곳 주위에 모였습니다. 흙과 양쪽 바닥에 큰 구덩이가 있었습니다. 관을 아래로 미끄러지게 내리고 즉시 흙으로 덮었습니다. 신부는 기도하기 시작했지만 카를로는 슬픈 생각을 했습니다. 흙이 관 위에 떨어지는 소리가 아직도 귓가에 맴돌았습니다. 사랑하는 할 아버지가 그곳에 누우셨습니다.

사람들은 집으로 돌아가려고 벌써 떠나갔습니다. 다른 무덤들 사이를 지나가면서 카를로는 이미 땅 밑에 누워 있는 모든 사람들에 대한 슬픈 생각이 들었습니다.

1. Ĉu Janko povis — al sia — informojn? Jes, — povis, post kelkaj —.

2. — mortis en la — de Karlo? Lia —.

3. Kie — la avo? — — lito.

4. — oni kondukis la — ? Al la tombejo.

5. Per — oni rekovris la — ? Oni rekovris — per tero.

6. — kio pensis Karlo? — pensis pri la —, kiuj jam kuŝas sub la —.

17. Studento kaj poeto

Ĉe l' fino de siaj gimnaziaj jaroj, Karlo bone sukcesis sian lastan ekzamenon. Lia patro decidis, ke li forveturu studadi en Heidelberg. Tie li pasigis unu jaron; sed malgraŭ la gajeco de l' studentoj kaj la beleco de l' urbeto, Karlo ne havis tre ĝojan vivadon. Li pli kaj pli fariĝis revema. Dum la aliaj drinkadis bieron kaj petoladis tra la stratoj, Karlo trankvile sidadis en sia ĉambro.

Li havis bonan brakseĝon, kaj, en la malvarmaj vesperoj, li tie sidis ĉe la fajro, pripensante aŭ legante. Li ofte verkis versaĵojn. Ankaŭ li skribis longajn leterojn al sia amiko Janko, kiu estis en Bruselo, studanta leĝosciencon. Karlo aŭskultis en Heidelberg kelkajn kursojn pri natura scienco, biologio kaj psikologio. Li decidis, ke proksiman jaron li komencos studadi medicinon. Por tio li ankaŭ veturis Bruselon, kiam estis finita lia jaro en Heidelberg.

En Bruselo, pli gaja estis por li la vivado. Tie li renkontis sian amikon Jankon kaj ankaŭ alian kunliceanon Laminde, kiu ĵus venis el Anglujo kaj studadis literaturon. La influo de Janko estis tre bona al Karlo, ĉar tiu amiko estis ĉiam energia kaj gaja. Li kondukadis Karlon al la juĝejoj, al politikaj kunvenoj, al sociaj kaj sciencaj paroladoj. Kiel antaŭe, li multe lernigis al sia revema amiko.

Laminde estis neriĉa junulo. Li devis perlabori por vivadi kaj studadi. Li donis lecionojn, li eĉ faris paroladojn pri la angla literaturo, li verkadis por gazetoj. Dank' al li, Janko kaj Karlo kelkafoje ricevis senpagajn teatrobiletojn, havigitajn de la redakcio de ĵurnalo, por kiu Laminde ofte skribis artikolojn.

Kiel Janko, Laminde multe kuraĝigis Karlon per sia vigleco. Kvankam li studadis medicinon, Karlo ĉiam pli interesiĝis je la literaturo kaj arto. Ambaŭ liaj amikoj tre incitis lin, ke li publikigu kelkajn el la poemoj, kiujn li verkis. Sed Karlo dum longa tempo estis tro timema. Fine li elektis tridek el ili kaj eldonis elegantan volumeton kun modernarta kovrilo kaj longe serĉita titolo: "Oraj Flugiloj". La unua versaĵo estis la jena:

Lasta flugo.

Vi kien flugas, papilio,

Tremante kaj rapide?
Jam mortis rozo kaj lilio,
   Kaj venas frost' perfide.

Flugiloj viaj kvazaŭ lampo
   Briletas en nebulo:
Vi kion serĉas tra la kampo,
   Perdita somerulo?

Dezertaj estas la ĝardenoj
   Kaj vana l' amo via.
Skeletoj ŝajnas la vervenoj
   Sub laŭbo senfolia.

Vi kial flugas en malvarmo
   Tra flora la tombejo?
Sur ĉiu loko pluva larmo
   Nun restas en herbejo.

Silentas ĉiuj en la nestoj,
   Kaj svenis bonodoroj;
Plu ne batalos vi kun vespoj
   Pri la floretaj koroj.

Jen restas nur en kampo vasta
   Velkinta krizantemo,
Sur kiu via kiso lasta
   Mortigos vin en tremo.

1. Al kiu urbo veturis Karlo? — 2. Kiom da monatoj li restis tie? — 3. Nomu la tagojn de la semajno kaj la monatojn de la jaro. — 4. Al kiu ofte skribis Karlo? — 5. Kion li studis speciale? — 6. Nomu kelkajn sciencojn kaj artojn. — 7. Ĉu Karlo ŝatis skribi poeziojn? — 8. Donu kelkajn vortojn rimantajn kun "vento". — 9. Ĉu vi preferas prozon aŭ versojn?

17. 대학생이자 시인

카를로는 고등부 말에 마지막 시험을 잘 통과했습니다. 아버지는 카를로가 하이델베르그에서 공부하기 위해 떠나야 한다고 결정했습니다. 그곳에서 카를로는 1년을 보냈습니다. 그러나 학생들의 유쾌함과 마을의 아름다움에도 불구하고 카를로의 삶은 그다지 기쁘지 못했습니다. 카를로는 점점 더 꿈을 꾸었습니다. 다른 사람들이 맥주를 마시고 거리에서 뛰놀고 있는 동안 카를로는 자기 방에 조용히 앉아 있었습니다.

카를로에게는 좋은 안락의자가 있었고, 추운 저녁에는 난로 옆에 앉아 사색하거나 독서를 했습니다. 자주 시를 썼습니다. 또한 브뤼셀에서 법학을 공부하고 있는 친구 얀코에게 장문의 편지를 썼습니다. 카를로는 하이델베르그에서 자연과학, 생물학, 심리학 분야의 일부 과정을 들었습니다. 내년에 의학 공부를 시작하기로 결정했습니다. 이를 위해 하이델베르그에서의 1년을 마치고 카를로도 차를 타고 브뤼셀로 갔습니다.

브뤼셀에서의 삶은 더욱 즐거웠습니다. 그곳에서 친구 얀코와 영국에서 막 와서 문학을 공부하고 있는 중고등학교 동급생 라민데를 만났습니다. 얀코의 영향력은 카를로에게 매우 좋았습니다. 왜냐하면 그 친구는 항상 활력이 넘치고 명랑했기 때문입니다. 얀코는 카를로를 재판장, 정치적 모임, 사회 및 과학 강의에 데려갔습니다. 이전과 마찬가지로 얀코는 꿈꾸는 친구가 많은 것을 공부하도록 했습니다.

라민데는 부유하지 않은 청년이었습니다. 먹고 살며 공부하기 위해 일해야 했습니다. 수업을 했고, 심지어 영문학 강의도 했고, 신문에 글도 썼습니다. 라민데 덕분에 얀코와 카를로는 라민데가 자주 기사를 썼던 신문 편집자들로부터 제공되는 무료 극장 티켓을 때때로 받았습니다.

얀코처럼 라민데도 활기차게 살아 카를로에게 많은 격려가 되었습니다. 카를로는 의학을 공부했지만 문학과 예술에 항상 더 흥미를 가졌습니다. 두 친구는 카를로가 쓴 시 중 일부를 출판하라고 강력히 권했습니다. 하지만 카를로는 오랫동안 너무 수줍음이 많았습니다. 마침내 카를로는 그 중 30편을 선택하여 현대적인 미술 표지와 오랫동안 찾은 제목인 "황금 날개"로 멋진 작은 책을 출판했습니다. 첫 번째 시는 다음과 같았습니다.

마지막 비행

나비야, 어디로 날아 가니?
　　떨면서 빠르게.
이미 장미와 백합은 시들었다.
　　기만하듯 서리가 내린다.

네 날개는 등불처럼
　　안개 속에서 반짝인다.
들판에서 무엇을 찾고 있니?
　　잃어버린 여름의 존재.

꽃밭은 황량하고

당신의 사랑은 헛되다.
뼈대는 마편초처럼 보인다
   덩굴의 잎이 없는 정자 아래서.

추운데 왜 날아가니?
   꽃이 있는 무덤을 통과해.
곳곳에 눈물이 비처럼 내려
   지금은 풀밭에 남아있다.

둥지에서는 모두가 조용하고
   향기는 희미해졌다.
더 이상 말벌과 싸우지 않을 테다.
   작게 꽃이 핀 마음에 대해.

드넓은 들판에는
   시든 국화만 남아,
그 위에 한 너의 마지막 키스로
   넌 떨면서 죽을 것이다.

1. 카를로는 어느 도시로 차를 타고 갔나요?
2. 카를로는 거기에 몇 달 동안 머물렀나요?
3. 한 주의 요일과 일 년의 달을 이름으로 말해보세요.
4. 카를로는 누구에게 자주 편지를 썼나요?
5. 카를로는 특히 어떤 공부를 했나요?
6. 과학과 예술의 이름을 몇 개 말해 보세요.
7. 카를로는 시 쓰는 걸 좋아했나요?
8. "바람"과 운율이 맞는 단어를 몇 가지 알려주세요.
9. 산문과 운문 중 어느 것을 더 좋아하나요?

18. Alico

Ĉiusomere Karlo veturis hejmen por pasigi kelkajn semajnojn kun siaj gepatroj kaj Heleno. Post sia dua jaro en Bruselo, kiam li revenis hejmen, li trovis sian fratinon fianĉino de juna advokato en la urbo. Lia estonta bofrato estis tre bone konata pro sia delikata elokventeco kaj ankaŭ pro sia afablega karaktero, kiu havigis al li multajn amikojn. Tiu fianĉiĝo kaŭzis multe da invitoj de kaj al la familio Davis.

Tiun someron Karlo vidis kaj revidis multajn personojn en la urbo. La fianĉo de Heleno iam venis peti Karlon, ke li akompanu sian fratinon kun li por viziti amikon de lia patro, kiu ĵus revenis el Hindujo. Estis profesoro Palam, de la Kalkuta Universitato. Li kun sia familio revenis el Kalkuta por pasigi en la urbo du jarojn da libertempo, kiujn li postulis por sia sano.

Dum la juna advokato paroladis pri la talento de la profesoro, homo tiel interesa, tiel klera, k.t.p., Karlo sentis malnovan fajron rebruliĝantan en sia koro.

Pri la junulino ekvidita en la preĝejo li repensis. Pri la perdita pilko en la parko li rememoris, ankaŭ pri la promenadoj ĉirkaŭ la mistera domo. "Mi plezure vin akompanos tien," li diris.

La tagon, kiam, kune kun la gefianĉoj, li iris al la domo de profesoro Palam, Karlo estis neordinare ekscitita. Heleno tre miris pri tio.

La profesoro kun sia edzino akceptis ilin ĉarme kaj prezentis al Karlo sian filinon. La junulino estis plej bela kaj dolĉa, nun kredeble dudek aŭ dudek-unujara.

"Sinjoro Karlo Davis," diris la profesoro, "mia filino Alico." Kvankam tre konfuzita, Karlo fariĝis kuraĝa. — "La grandan plezuron renkonti vin, fraŭlino, mi jam havis antaŭ kvin jaroj en la Nacia Parko, kie vi perdis pilkon."

Ŝi ĉarme ridetis iom ruĝiĝante: "Ho, jes, sinjoro, mi memoras, ŝi diris, vi estis tiel afabla!"

Plej agrablan vesperon pasigis Karlo ĉe la hejmo de profesoro Palam. Tien li ofte revenis. Oni petis, ke li legu versaĵojn siajn. Eĉ kanton li verkis, kiun lernis fraŭlino Alico por kanti laŭ ario ŝatata de ŝi.

Ofte fraŭlino Palam estis invitita de fraŭlino Davis; kaj Karlo pro tio estis al sia fratino duoble pli afabla ol antaŭe. Okazis iam, ke

Karlo iris kun Alico remadi sur la rivero. Li luis boaton kaj ambaŭ trankvile remis ĝis la arbareto de salikoj. Kiam por vespermanĝo ili revenis hejmen, gefianĉoj ili estis.

La konsenton de gesinjoroj Palam, Karlo facile akiris, same kiel la aprobon de siaj gepatroj. Li estis la plej feliĉa junulo en la mondo.

Faru demandojn por la jenaj respondoj.

1. — ? Jes, ĉiusomere. 2. — ? Kun siaj gepatroj kaj Heleno. 3. — ? Kun juna advokato en la urbo. 4. — ? Jes, li havis multajn amikojn. 5. — ? Ĉar li havis afablan karakteron. 6. — ? Li estis profesoro en la Kalkuta Universitato. 7. — ? Li revenis por sia sano. 8. — ? Li diris al Karlo, ke la profesoro estas tre klera. 9. — ? Jes, li estis akceptata tre afable. 10. — ? Ŝi estis ĉirkaŭe dudekjara. 11. — ? Ĝi estis verkita de Karlo. 12. — ? Jes, li estis tre feliĉa.

18. 알리쪼

    매년 여름 카를로는 부모님과 헬레노와 함께 몇 주간 지내려고 집으로 떠났습니다. 브뤼셀에서 2년을 보낸 뒤 집으로 돌아온 카를로는 여동생이 그 도시의 젊은 변호사와 약혼한 것을 알았습니다. 미래의 매제는 재치있는 언변으로 잘 알려져 있고 상냥한 성격으로 인해 친구가 많았습니다. 이 약혼 때문에 다비스 가족은 많은 초대를 하거나 받았습니다.

    그해 여름 카를로는 도시에서 많은 사람들을 보고 또 다시 만났습니다. 한번은 헬레노의 약혼자가 인도에서 막 돌아온 아버지의 친구를 방문하기 위해 여동생과 함께 동행해서 자신과 같이 가자고 카를로에게 요청하러 왔습니다. 캘커타 대학의 팔람 교수였습니다. 교수는 건강을 위해 2년간의 휴가를 요청해서 그 도시에서 보내려고 가족과 함께 캘커타에서 돌아왔습니다.

    젊은 변호사가 교수의 재능에 대해, 매우 재미있고 똑똑한 사람이라고 말하는 동안 카를로는 마음 속에서 오래된 불이 다시 타오르는 것을 느꼈습니다.

    카를로는 성당에서 보았던 그 아가씨를 떠올렸습니다. 공원에서 잃어버린 공을 기억했고, 신비한 집 주변을 서성거렸던 일도 기억했습니다. "기꺼이 그곳으로 동행할게"라고 카를로는 말했습니다.

    약혼 당사자들과 함께 팔람 교수의 집에 갔던 날, 카

를로는 유난히 흥분했습니다. 헬레노는 이것에 매우 놀랐습니다.

교수 부부는 이들을 반갑게 맞이하고 딸을 카를로에게 소개했습니다. 아가씨는 가장 아름답고 사랑스러웠는데, 이제 아마도 스무 살이나 스물한 살쯤 되어 보였습니다. "카를로 다비스 씨." 교수가 말했습니다. "내 딸 알리쪼예요" 매우 당황했지만 카를로는 용감해졌습니다. "다시 만나게 되어 매우 기쁩니다. 아가씨, 이미 5년 전에 아가씨가 공을 잃어버린 국립공원에서 우린 만났지요"

아가씨는 매력적으로 미소 지으며 약간 얼굴을 붉혔습니다. "아, 네, 기억납니다. 카를로 씨" 아가씨가 "당신은 정말 친절했어요!"라고 말했습니다.

카를로는 팔람 교수의 집에서 가장 즐거운 저녁을 보냈습니다. 그곳으로 자주 돌아갔습니다. 카를로는 시를 읽어 달라는 요청을 받았습니다. 심지어 노래를 썼고 알리쪼 양은 자신이 좋아하는 오페라곡에 맞춰 부르려고 그 노래를 배웠습니다.

팔람 양은 종종 헬레노의 초대를 받았습니다. 이런 이유로 카를로는 여동생에게 이전보다 두 배나 친절했습니다. 언젠가 카를로는 알리쪼와 함께 강에서 노를 저은 적이 있었습니다. 배를 빌려서 둘은 조용히 버드나무 숲으로 노를 저었습니다. 저녁 식사를 위해 집으로 돌아왔을 때 그들은 혼인을 약속했습니다.

카를로는 부모님의 허락처럼 쉽게 팔람 부부의 허락을 얻었습니다. 세상에서 가장 행복한 청년이었습니다.

다음 대답을 위한 질문을 만드세요

1. — ? Jes, ĉiusomere.

2. — ? Kun siaj gepatroj kaj Heleno.

3. — ? Kun juna advokato en la urbo.

4. — ? Jes, li havis multajn amikojn.

5. — ? Ĉar li havis afablan karakteron.

6. — ? Li estis profesoro en la Kalkuta Universitato.

7. — ? Li revenis por sia sano.

8. — ? Li diris al Karlo, ke la profesoro estas tre klera.

9. — ? Jes, li estis akceptata tre afable.

10. — ? Ŝi estis ĉirkaŭe dudekjara.

11. — ? Ĝi estis verkita de Karlo.

12. — ? Jes, li estis tre feliĉa.

19. Kuracisto

Ankoraŭ du jarojn studadis Karlo en la malsanulejoj de Bruselo, sed li revenadis hejmen por Kristnasko, por Pasko, por la someraj monatoj kaj ankoraŭ eĉ pli ofte. La edziniĝo de lia fratino Heleno estis unu el tiuj bonaj kaŭzoj por libertempo.

Ĉe tiu festo li la unuan fojon montriĝis oficiale kun sia fianĉino Alico Palam. Estis tre ĝojiga tago.

Ĉe la fino de sia lasta studjaro, Karlo prezentis ĉe la Universitato sian tezon pri "la influo de l' imagemo en la muskolaj malsanoj". Sukcesinte kun honoro, li definitive revenis al sia hejma urbo.

Konsilate de sia patro, li luis ĉambraron sur la unua etaĝo de komforta domo tute proksime je la vendoplaco. Alico lin helpis por aranĝadi la ĉambraron kaj iliaj patrinoj sin okupis pri aĉeto de mebloj, tapiŝoj, kurtenoj, k.t.p.

Karlo deziris havi kelkajn artajn bildojn en sia hejmo. Alico donacis al li grandan kopion de la itala pentraĵo, antaŭ kiu ili ambaŭ haltis samtempe en la muzeo, kiam ili estis geknaboj.

Per la amikoj kaj la konatuloj de ambaŭ familioj Davis kaj Palam, Karlo ekakiris kelkajn klientojn. Sian tezon de doktoro de medicino li vendigis en la librobutikoj de la urbo kaj per tio plikonigis sian nomon, kvankam la tezo ne pli vendiĝis, ol lia poemlibro. Pro lia granda kvieteco kaj certeco, Karlo tre rapide plimultigis sian klientaron. Li efektivigis kelkajn mirindajn resanigojn de nervaj personoj, kaj li ĉiam pli kaj pli interesiĝis je tiu psikologia parto de l' kuracarto.

Li interesiĝis je publika higieno kaj faris kelkajn paroladojn pri hejmozorgado, pri ordo en ĉiutaga vivado, pri reguleco en manĝado kaj dormado, pri efikoj de alkoholdrinkado, k.t.p.

Post ses monatoj li estis preskaŭ la plej ŝatata kuracisto en la urbo kaj jam estis plu nenia kaŭzo por prokrasti lian edziĝon kun Alico Palam. Ambaŭ gejunuloj konsentis por ne havi bruan feston. Ili opiniis, ke oni ne edziĝas por la publiko. Laŭ ilia deziro la festo estis tute familia kaj intima, kaj kredeble pro tio speciale ĉarma. Sinjorino Palam havis tamen doloran momenton da plorado pensante, ke ŝi de nun ne plu havos kun si sian amatan filinon. Sed la feliĉo de Alico ŝin konsolis. Ŝi sukcesis iom forgesi tiun suferigan penson, ke ofte ies feliĉo kaŭzas la malfeliĉon de alia, kaj kio alportas rideton sur la lipojn de unu, ofte naskas larmojn en la okuloj de alia.

Post la edziĝa ceremonio, la feliĉaj geedzoj foriris por fari la kutiman vojaĝon.

1. Ĉu Karlo kelkafoje revenis hejmen? — 2. Kiun tezon li prezentis? — 3. Sur kiu etaĝo li luis ĉambraron? — 4. Kiu helpis Karlon? — 5. Kiuj objektoj troviĝas ĝenerale en salono kaj en manĝoĉambro? — 6. Kion donis Alico al sia fianĉo? — 7. Kies tezo ne multe vendiĝis? — 8. Ĉu vi legis la tezon de S-ro Doktoro Corret pri la utileco de internacia lingvo por medicino? — 9. Kio estas en la kapo? — 10. Per kio oni vidas? — 11. Nomu la diversajn partojn de la homa korpo. — 12. Kiu mano estas ĝenerale pli lerta? — 13. Kiel oni nomas viron, kiu ne povas vidi? — 14. Kiel skribas la blinduloj?

19. 의사

  카를로는 브뤼셀 병원에서 2년 더 공부했지만 성탄절,
부활절, 여름방학 동안 그리고 그보다 더 자주 집으로
돌아왔습니다. 여동생 헬레노의 결혼은 휴가를 위한 좋
은 이유 중 하나였습니다.

  그 축하잔치에서 카를로는 약혼녀 알리쪼 팔람과 함께
공식적으로 처음 선을 보였습니다. 매우 기쁜 날이었습
니다.

  카를로는 대학의 마지막 학년 말에 "근육 질환에서 상
상력의 영향"에 관한 논문을 발표했습니다. 영광스러운
성공을 거두고 확실히 고향으로 돌아 왔습니다.

  아버지의 조언에 따라 시장에서 매우 가깝고 방이 여
럿이고 편안한 1층 집을 임대했습니다. 알리쪼는 카를로
가 방을 꾸미는 것을 도왔고 그들의 어머니는 가구, 양
탄자, 커튼 등을 구입하는 역할을 맡았습니다.

  카를로는 집에 미술 그림을 몇 개 걸어두고 싶었습니
다. 알리쪼는 예전에 두 사람이 학생이었을 때 박물관에
서 동시에 앞에서 멈추었던 이탈리아 그림의 큰 사본을
카를로에게 선물했습니다.

  다비스와 팔람 두 가족의 친구와 지인을 통해 카를로
는 일부 고객을 확보하기 시작했습니다. 도시의 서점에
서 의학박사 학위 논문을 팔아 자신의 이름을 더 잘 알
렸지만, 그 논문은 자신의 시집보다 더 많이 팔리지 않

았습니다. 뛰어난 차분함과 신뢰 덕분에 카를로는 고객들을 매우 빠르게 늘렸습니다. 카를로는 신경질적인 사람들을 훌륭하게 치료해 주었고 의학의 심리학적인 부분에 점점 더 관심을 가지게 되었습니다.

공중 위생에 관심이 많았고, 가정 간호, 일상 생활의 질서, 식사와 수면의 규칙성, 음주의 영향 등에 관해 여러 차례 강의했습니다.

6개월 후 카를로는 도시에서 거의 가장 인기 있는 의사가 되었고 더 이상 알리쪼 팔람과의 결혼을 연기할 아무런 이유가 없었습니다. 두 젊은이는 시끄러운 잔치를 열지 않기로 동의했습니다. 그들은 대중을 위해 결혼하지 않는다고 생각했습니다. 그들의 바람대로 잔치는 완전히 가족적이고 친밀했으며, 그렇기 때문에 더욱 매력적이었을 것입니다. 하지만 팔람 부인은 사랑하는 딸을 더 이상 곁에 둘 수 없다는 생각에 눈물을 흘리는 고통스러운 순간을 겪었습니다. 그러나 알리쪼의 행복으로 부인은 위로받았습니다. 부인은 종종 누군가의 행복이 다른 사람의 불행을 초래하고, 누군가의 입술에 미소를 가져다주는 것이 종종 다른 사람의 눈에 눈물을 흘리게 한다는 고통스러운 생각을 어느 정도 잊었습니다.

결혼식이 끝난 후, 행복한 부부는 신혼 여행을 떠났습니다.

1. 카를로는 가끔 집에 왔나요?
2. 카를로는 어떤 논문을 발표했나요?
3. 카를로는 몇 층에 집을 빌렸나요?
4. 누가 카를로를 도와주었나요?
5. 거실과 부엌에는 주로 어떤 물건들이 있나요?

6. 알리쪼는 약혼자에게 무엇을 주었나요?

7. 누구의 논문이 많이 팔리지 않았나요?

8. '의학을 위한 국제어의 유용성' 이라는 코렛 박사의 논문을 읽었나요?

9. 머리 속에는 무엇이 들어있나요?

10. 무엇으로 보나요?

11. 인체의 여러 부위를 말해 보세요.

12. 일반적으로 어느 손이 더 능숙한가요?

13. 볼 수 없는 사람을 뭐라고 부르나요?

14. 시각장애인은 어떻게 글을 쓰나요?

20. En Italujo

Ĉar Karlo estis nun tre okupata kuracisto, li ne povis resti longe for de la urbo. Pro tio la edziĝovojaĝo estis ne tre longa. Aliflanke Alico forte deziris baldaŭ komenci sian edzinan vivadon en la nova hejmeto. Sed ŝi ankaŭ deziris viziti Italujon, kies nur unu havenon ŝi konis.

La junaj geedzoj traveturis Svislandon, haltante en la bela urbo Lucerno kaj celante Milanon per la Gotharda fervojo. La tuta pejzaĝo de tiu vojo inter la montoj tre forte impresis ilin per sia grandioza beleco.

Alveninte Luganon, ili estis tiel ĉarmitaj de la lago, ke ili denove haltis kelkajn tagojn kaj ankaŭ vizitis Komon kaj la ĉirkaŭan regionon. Akvoj bluaj, bluegaj, en kiuj fandiĝas oraj sunradioj, krutaj montoj silente gardstarantaj ĉirkaŭe, blankaj domoj, ĝardenoj kun vinbero kreskanta sur arboj kaj muroj: tio estas la lando de l' poezia trankvileco, kie Plinus revante promenadis antaŭ dumil jaroj.

En Milano ili pasigis tutan matenon en la

turoj kaj sur la tegmento de l' grandega ĉefpreĝejo, kiu blanke brilegis kvazaŭ giganta juvelo sub la hela ĉielo.

En Venezio ili longe promenadis en la palaco de l' dukoj, admirante la grandajn majstroverkojn de l' pentristoj el la venezia skolo. En nigra gondolo ili dolĉe glitadis sur la kanaloj inter la marmoraj palacoj kaj sub la arkaj pontoj. Ili ŝipveturis al la insulo Lido por vidi la maron Adriatikan. Antaŭ la ora ĉefpreĝejo de Sankta Marko ili disĵetis grenerojn al la komboj sur la Granda Placo. Vespere, sur la Granda Kanalo, inter la kolorpaperaj lanternoj ili sekvadis en gondolo koncertboaton, el kiu kantistoj kun gitaroj aŭ mandolinoj sonigis tra la nokto melodian arion.

En Bolonjo ili vizitis la malnovajn preĝejojn por admiri la pentraĵojn. En Romo ili vidis la Forumon, kiun ĉirkaŭas tiom da gloraj ruinaĵoj kaj plenigas tiom da eternaj memoraĵoj.

En Napolio ili vagadis ĉe l' marbordo kaj vidis nepriskribeblajn subirojn de la suno. La vaporŝipego, en kiu vojaĝis gesinjoroj Palam por reiri al Kalkuta, estis haltonta ĉe Napolio. Ĝian alvenon ili atendis, por ilin adiaŭi. Poste ili revenis hejmen haltante ankoraŭ en Nice kaj Marseille.

Tre ĝoje ili komencis sian novan kunvivadon

hejme, kaj Karlo feliĉkore miris, kiel bele realiĝis lia knaba revo.

Rakontu skribe la supran ĉapitron.

1. — ? Li estis kuracisto. 2. — ? Ne, ĝi ne estis tre longa. 3. — ? Ŝi deziris viziti Italujon. 4. — ? Jes, tiu lando estas tre bela. 5. — ? Ili haltis en Lucerno. 6. — ? Jes, tiu urbo estas ĉe la bordo de lago. 7. — ? Ili restis en Lugano dum kelkaj tagoj. 8. — ? La restoracio en la stacidomoj estas nomata bufedo. 9. — ? Estas la lokomotivo, kiu trenas la vagonaron. 10. — ? Jes, dum la vintro la svisaj montoj estas tute kovrataj de neĝo. 11. — ? Jes, Venezio estas tre malnova urbo. 12. — ? Sur la kanaloj oni veturas per gondoloj. 13. — ? Jes, tiuj ŝipetoj estas tre graciaj. 14. — ? La sono de la violono estas pli bela, ol tiu de la gitaro. 15. — ? La vaporŝipo estis haltonta ĉe Napolio. 16. — ? Jes, Karlo fariĝis konata kaj bone sukcesis.

20. 이탈리아에서

카를로는 이제 매우 바쁜 의사였기 때문에 오랫동안 도시를 떠날 수 없었습니다. 이 때문에 신혼여행은 그리 길지 않았습니다. 한편, 알리쪼는 작은 신혼집에서 곧 결혼 생활을 시작하고 싶었습니다. 그러나 아는 항구가 단 하나뿐인 이탈리아도 방문하고 싶었습니다.

젊은 부부는 아름다운 도시 루체른에 머물렀다가 밀라노행 고타드 기차를 타고 스위스를 지나갔습니다. 산 사이에 있는 그 길의 전체 풍경이 장엄하게 아름다워 그들은 깊은 인상을 받았습니다.

루가노에 도착한 그들은 호수에 너무 매료되어 며칠 동안 다시 머물렀고 코모와 주변 지역도 방문했습니다. 황금빛 태양빛이 녹아내리는 파랗고 새파란 바다, 말없이 사방을 지키고 있는 가파른 산들, 하얀 집들, 나무와 벽에 포도가 자라는 정원. 그것은 2000년 전 플리누스가 꿈꾸며 걸었던 시적이고 조용한 지방입니다.

밀라노에서 그들은 아침마다 탑에서, 밝은 하늘 아래 거대한 보석처럼 하얗게 빛나는 거대한 대성당의 지붕에서 시간을 보냈습니다.

베니스에서는 베네치아 학파 출신 화가들의 위대한 걸작을 감상하면서 공작의 궁전에서 오랫동안 산책했습니다. 검은 곤돌라를 타고 대리석 궁전 사이와 아치형 다리 아래 운하를 부드럽게 미끄러졌습니다. 그들은 아드

리아해를 보기 위해 리도 섬으로 배를 타고 갔습니다. 황금빛 성 마르코 성당 앞에서 대광장에 있는 비둘기들에게 곡물 낟알을 뿌려주었습니다. 저녁에는 대운하의 색종이 등불 사이에서 곤돌라를 타고 음악회를 여는 배를 뒤따라 갔는데, 그곳에서 기타나 만돌린을 든 가수들이 밤새도록 서정적인 선율의 노래를 불렀습니다.

볼로냐에서는 그림을 감상하기 위해 오래된 성당을 방문했습니다. 로마에서는, 수많은 영광스러운 폐허로 둘러싸여 있고 수많은 영원한 기념물로 가득 찬 공회광장을 보았습니다.

나폴리에서는 해안을 거닐며 말로 표현할 수 없이 멋진 일몰을 보았습니다. 팔람 부부가 캘커타로 돌아가기 위해 탔던 커다란 증기선이 나폴리에서 멈출 예정이었습니다. 그들은 팔람 부부에게 작별 인사를 하기 위해 그것이 도착하기를 기다렸습니다. 그뒤 니스와 마르세유에도 머물렀다가 집으로 돌아왔습니다.

그들은 매우 기쁘게 집에서 신혼생활을 시작했고, 카를로는 어린 시절의 꿈이 얼마나 아름답게 실현되었는지 보고 행복한 마음으로 놀랐습니다.

위 장을 글로 써 보세요

1. — ? Li estis kuracisto.
2. — ? Ne, ĝi ne estis tre longa.
3. — ? Ŝi deziris viziti Italujon.
4. — ? Jes, tiu lando estas tre bela.
5. — ? Ili haltis en Lucerno.
6. — ? Jes, tiu urbo estas ĉe la bordo de

lago.

7. — ? Ili restis en Lugano dum kelkaj tagoj.

8. — ? La restoracio en la stacidomoj estas nomata bufedo.

9. — ? Estas la lokomotivo, kiu trenas la vagonaron.

10. — ? Jes, dum la vintro la svisaj montoj estas tute kovrataj de neĝo.

11. — ? Jes, Venezio estas tre malnova urbo.

12. — ? Sur la kanaloj oni veturas per gondoloj.

13. — ? Jes, tiuj ŝipetoj estas tre graciaj.

14. — ? La sono de la violono estas pli bela, ol tiu de la gitaro.

15. — ? La vaporŝipo estis haltonta ĉe Napolio.

16. — ? Jes, Karlo fariĝis konata kaj bone sukcesis.

학습자료

⟨1. La familio⟩

*접사 파생어
1) 접두사+어근
1. ge-(j) : gesinjoroj 부부
2. mal- : malriĉa가난한 malgranda 작은
malnova 오래된 malfermita 열려 있는
malfermante 열면서 malordigante 흐트러뜨리면
서 malsupren 아래로
3. re- : retrankviliĝi 다시 편안해지다 rekonduki
다시 데려오다
4. ek- : ekaŭdante 듣기 시작하면서 ekfajfi 호각
을 불기 시작하다 ekplori 울기 시작하다
2) 어근+접미사
1. -in- : sinjorino 아주머니 edzino 부인
fratineto 작은 여동생 patrino 어머니
servistino 하녀
2. -et- : urbeto 작은 도시 dometo 작은 집
  arbeto 작은 나무 fratineto 작은 여동생
rideto 미소 kureti 종종걸음으로 달리다
beleta 예쁜
3. -eg- : treege아주 ridego 큰 웃음 ventego 태
풍, 폭풍 ĉambrego 큰 방 plezurege 아주 기쁘게
4. -ist- : servistino 하녀
5. -iĝ- : iĝinta 이미 된 ofendiĝi 화가 나다
interesiĝi 관심을 갖다, 흥미를 갖다 fariĝi 되다

retrankviliĝi 다시 편안해지다

6. -ig- : klarigo 설명 venigi 오게 하다
malordigante 흐트러뜨리면서

7. -ej- : sidejo 앉는 자리

8. -ad- : kuradi 달리곤 하다, 계속 달리다
dormadi 계속 잠자다 penadi 계속 노력하다
bruadi 계속 시끄러운 소리를 내다

9. -em- : protektemo 보호 엄호 두둔 후원
observema (규칙을) 준수하는 경향이 있는
entreprenema 진취적인 활동적인
ĉirkaŭpromeni 주위를 돌아다니다

10. -ebl- : kredeble 아마도

11. -ant- : dormanta 잠자고 있는 ekaŭdante 듣기 시작하면서 instruanto 가르치는 사람 gvidanto 안내자 uzante 사용하면서 tremante 떨면서
malfermante 열면서 palpante 만지면서
malordigante 흐트러뜨리면서

12. -int- : iĝinta 이미 된 petinte 청해서, 구해서
aŭdinte 듣고나서

13. -ar- : meblaro 가구 ŝtuparo 계단

14. -at- : nekonata 알려지지 않는 ŝatata 사랑하는

15. -it- : brodita 수놓은 forprenita 가져와버린
timigita 두려워한 konsolita 위로를 받은
embarasita 당황한

〈-eco〉 性,情,愛,感을 나타내는 추상명사 만드는 접미사

vereco-진 / boneco-선 / beleco-미
klareco-분명함, 투명함, 명확함
saĝeco-지혜, 총기 / gajeco-흥
unueco-단결, 통일성 / amikeco-우정
soleco-고독 / justeco-정의
perfekteco, pleneco, tuteco, totaleco-완전
libereco-자유 / populareco-인기
kuneco-연대 / afableco-호의
kareco-귀중함, 높은 물가
propreco, specialeco-특성
vanteco, vaneco-허무
lerteco, laboriteco-재간,재능,솜씨
senlaboreco-무직의 상태, 실업률
simileco-유사성 / besteco, sovaĝeco-야성
honesteco-솔직성 / pureco-순결
sincereco-성실 / mallogikeco-부조리
senvaloreco, nenieco-무가치 / nacieco-국적
estanteco-현재=nuneco
estinteco-과거=pasinteco
estonteco-미래 / edukiteco-교육정도
klereco, instruiteco-교양 / alteco-고도
aktiveco-활발성, 효력 / ordinareco-평범함
konveneco-타당성 / amikiĝebleco-친화력
honesteco-정직 / kapableco-적성,능력
senkapableco, malkapableco-무능력
senanimeco, inerteco-무기력
supereco kaj malsupereco-우열
superloĝateco-인구과잉상태

troloĝateco-인구과밀상태
subloĝateco-인구미달상태
loĝateco-주거방법(양식,풍습) / konateco-친분
uzebleco, utileco-쓸모
kvieteco, trankvileco-안정
freŝeco, verdeco-싱싱함
malĝentileco-실례 / reciprokeco-상호관계
malsameco, alieco-상이성 / ĝeneraleco-보편성
ebleco-발전성 / senvalideco-무효
fraŭleco, senedzineco-(남성)독신
fraŭlineco, senedzeco-(여성)독신
vidveco-홀아비생활 / vidvineco-과부생활
diverseco-다양성 / maljuneco-노후
senkoreco, malproksimeco, indiferenteco-냉담
elteneco, daŭreco, persisteco-내구력
malforteco-나약 / vasteco-넓음
sklaveco-노예의 상태(신분)
sklavemeco-노예근성
urbaneco-시민자격(신분)
reguleco-질서정연함, 정규적임
rajteco-정당성 / egalrajteco-평등권
dezerteco-황폐 / vigleco, viveco-활기
certeco-확실성 / probableco-확률
realeco-현실성 / laŭleĝeco-합법성
neceseco-필연성 / pleneco, abundeco-풍죽
personfavoreco-편애
travidebleco, klareco-투명성
elstarecom, supereco-탁월성

monotoneco, unutoneco-천편일률
respondeco-책임 / graveco-중대성
heroeco-의협심 / kaŝeco-은밀
valideco-유효 / flueco-유동성
malrapideco-완만 / spiriteco-영성
virineco-여성다움, 여성미 / timideco-수줍음

〈-ado〉연속적 동작, 행위의 계속을 나타낸다.
parolado-연설 / dormado-(장시간의)수면
aktivado, agado-활동
movado-지속적인 움직임, 활동, (문화)운동
kantado-노래 / lernado, studado-학업
kuirado-요리 / instruado, edukado-교육
gvidado-안내, 교육
korespondado, komunikado-통신
maldormado-불면 / produktado-생산
deklamado-낭송 / regado-통치, 지배
sinregado-자제 / hejtado-난방
vidado-시각, 시력 / aŭdado-청각
flarado-후각 / gustumado-미각
tuŝado-촉각 / preparado-준비
laborado, servado-근무
paŝado, marŝado-행보 / pakado-포장
farado-제작 / migrado-방랑
eldirado, disbabilado, disparolado-누설
nelaborado, vakado-휴무
cerbumado, zorgado-고심
antaŭzorgado-예방, 경계, 대비

nutrado-영양공급 / elmetado, elmontrado-진열

adorado-숭배 / sopirado-사모

spirado-숨쉬기

tenado, deponado, gardado-보관

transformado-변화

miksado, kombinado-배합

fumado-흡연 / Fumado Malpermesita! 흡연금지

spektado, regardado-관람

rimarkado, sentado-감지

rondvizitado-순방, 순례, 시찰

vivado-生活

vivitenado-생계, 호구지책, 생활유지

kunvivado-동거 / skribado-서법, 저술하기

transskribado-전사, 옮겨쓰기, 사본

belskribado-서예 / semado-파종, 씨뿌리기

sangado-피흘리기, 출혈 / kultivado-경작, 재배

konstruado-건설, 건조 / segado-톱질

hakado-도끼질 / petegado-탄원

irado-진행, 걸음걸이 / farado-행동, 제작, 수행

frazo-farado-작문 / bonfarado-선행

nenifarado-무위도식 / estado-존재, 참석

forestado-부재, 결적 / kunestado-공존

sekvado, heredado-후계

brakumado, ĉirkaŭbrakado-포옹하다

ŝargado-충전 / filmado, fotado-촬영

vegetalmanĝado, herbomanĝado-채식

karnomanĝado-육식 / surhavado-착용

nomado-지명 / dezirado-지망

parkado-주차 / Parado Malpermesita! 주차금지
informado-제보 / ĝenado-실랑이
uzado-용법, 사용 / kuracado-시술
loĝado, tranoktado-숙박 / petegado-간청
suferado-괴로움, 고통, 번민
saltado-도약, 비약, (물가의)폭등
rezervado-예약 / restado-체류, 거주, 잔류
restvendado-재고정리
perado-중개, 중재, 알선, 개입

〈-em:버릇, 경향, 습성, 기호를 나타내는 접미사〉
parolema-말이 많은
silentema-조용한, 말이 없는
babilema-수다스러운
ordigema=aranĝema-정리를 잘하는
ordonema-명령하기를 좋아하는
ordema=purema-깔끔한
mastrema, regema-이래라저래라 하기를 좋아하는
laborema-열심히 일하는 / lernema-열심히 배우는
sentema-민감한 / nesentema-둔감한, 무감각한
trosentema-과민한 / vetersentema-날씨에 민감한
elektema-까다로운 / tolerema-잘 참는
kolerema-화를 잘 내는
komprenema-이해심이 많은 / agema-활동적인
klopodema-노력을 많이 하는
dubema=suspektema-의심이 많은
hezitema-주저하는, 우유부단한
rapidema-서두르는 〈-〉malrapidema

plaĉema-마음에 들려고 애쓰는
servema-남을 돌보기 좋아하는
helpema-남을 잘 돕는 / manĝema-잘 먹는,
manĝegema-게걸스럽게 먹는
profitema-이익만 추구하는, 잇속만 차리는
kalkulema-계산적인
dormema-잠꾸러기의, 잠자기를 좋아하는
demandema-질문이 많은,
scivolema-알고싶은 것이 많은
atentema-꼼꼼한, 찬찬한 / progresema-진취적인
pretendema-잘난체하는
batalema-싸우기를 좋아하는
pensema-생각에 잠기는
konsiderema-생각이 깊은
kredema-남을 잘 믿는 / nekredema-회의적인
malpacema-괴팍한
ŝparema-절약을 잘하는, 알뜰한
samseksema-동성애의
daŭrema-지속성이 있는, 오래가는
paciencema-참을성 많은 / zorgema-주의깊은
petolema-장난치기 좋아하는
rakontema-이야기하기 좋아하는
obeema-유순한, 순종적인
drinkema-술마시기 좋아하는
mensogema-잘 속이는 / timema-소심한
societema-사교적인 / produktema-비옥한
ŝanĝiĝema-변덕이 심한
kontraŭema-반골정신이 강한

vivema-생명력이 강한

verema-진실만을 말하는

sanema-(체질적으로)건강한

revema-공상에 잠기는, 꿈이 많은

postulema-요구가 많은, 쉽사리 만족하지 않는

komunikema-쉽게 전파되는, 옮아가는, 마음을 터

놓는 / ŝercema-농담을 잘하는

ridema-웃기 좋아하는

plorema-울보인, 울기 잘하는

vojaĝema-여행하기 좋아하는

karesema-아양떠는

hontema-부끄러움을 잘 타는

- *몇 개의 자주 쓰이는 접미사(-ec, -ad, -em)가 있
는 어휘 모음을 올립니다. 같이 공부하던 때에 이소유
님이 찾아온 것입니다. Edmond PRIVAT님은 에스페
란토의 기본어휘가 줄어든 것이 접두사, 접미사를 잘
사용하는 데에 있다고 보고 이 Karlo 책에서 의도적으
로 많이 사용하여 에스페란토의 묘미를 살리고 있는
것 같습니다. 또한 어근끼리 바로 붙여써서 복합어를
만드는 것이 에스페란토의 큰 장점인 것 같아요.

*복합어

murpapero 벽지 ĉefkomizo 은행지점장 elspezi
지출하다 ĉiujare 매년 dujara 2살의, 2년의
bluokula 파란 눈의 grandanima 너그러운, 관대한
nekonata 알려지지 않는 eliri 나가다 kamentubo
굴뚝 paperkorbo 휴지통 forprenita 가져와버린
kudromaŝino 재봉틀 subtegmenta 지붕아래의

rozkolora 분홍색의, 장밋빛의 antaŭtuko 앞치마

*숙어

nek~ nek~ : A도 B도 아니다

*복문

1) ke 절

Karlo ekfajfis kaj bruadis por anonci, ke danĝera ventego minacas la ŝipon

2) 관계사절

li trovis iun tagon bluokulan fratineton en la antikva lulilo, kie li kutimis dormadi antaŭ tre longe...

Li penadis imiti ĉion interesan, kion li vidis aŭ pri kio li aŭdis.

li konstruis grandan ŝipon, kies bela flava kamentubo estis...

per la elokventaj klarigoj de Karlo, kiu venigis la ventegon nur por havi la okazon, kuraĝe savi sian fratinon

Supre en la domo estis longa subtegmenta ĉambro, en kiu kuŝis kestoj, korboj, seĝoj kaj malnovaj objektoj.

3) 분사절

Petinte la permeson de sia patrino,

Poste ekaŭdante la laŭtan ridegon de iu nekonata sinjoro kun pinta barbo kaj longa griza surtuto,

Uzante tablon kaj multajn seĝojn,

malfermante la kestojn, palpante kaj

malordigante ĉiujn objektojn.

aŭdinte bruon,

4) 부사절

Kiam li estis dujara kaj jam kuradis tre bone tra la tuta domo,

kiam li estis malgranda

Kiam ankaŭ ŝi povis kureti tra la domo,

Kiam sinjorino Davis laboris ĉe sia kudromaŝino kaj Karlo ekfajfis kaj bruadis por anonci, ke danĝera ventego minacas la ŝipon,

ĝis kiam lia patrino aŭ la servistino,

Kiam li trovis malfermita la pordon de la ŝtuparo,

5) 의문사절

kiel orde kaj elegante la delikataj manoj de sinjorino Davis aranĝis ĉiujn aferojn

* 형용사

rozkolora 장미빛의 sana 건강한 juna 젊은〈-〉 maljuna 늙은 grand(eg)a 큰 vera 진짜의, 진정한 fiera (pri ~) 자랑스러운 interna 안의, 내부의, 내적인 trankvila 조용한, 편안한 ≒ kvieta 조용한 senutila 쓸데없는 ĝoja 기쁜 kontenta 만족스러운 feliĉa 행복한 bel(et)a 아름다운 blonda 금발의 dolĉa 달콤한, 부드러운 malseka 젖은, 축축한 laŭta 큰 소리의 nekomprenebla 이해할 수 없는 modesta 겸손한, 검소한, 수수한 vivanta 살아있는, 생생한, 생기 있는, 활발한 kreskanta 커가는, 자라나

는

· la junaj gesinjoroj Davis: 젊은 다비스 부부

· la patro de sinjoro Davis: 다비스 씨의 아버지

· la gepatroj de sinjorino Davis: 다비스 씨 부인의 부모님

· la juna frato de sinjoro Davis: 다비스 씨 남동생

· lia patra avo,sinjoro Karlo Davis: 그의 아버지쪽 할아버지인 카를로 다비스 씨(할아버지, 카를로 다비스 씨)

· lia patrina avo, sinjoro Teodoro Renberg: 그의 어머니 쪽 할아버지, 테오도로 렌베르그 씨(외할아버지, 테오도로 렌베르그 씨)

· la plej maljuna fratino de sinjorino Davis: 다비스 씨 부인의 가장 늙은 언니(큰이모)

*가족 어휘

patro(아버지) patrino gepatroj bopatro bopatrino bogepatroj

frato(형제) fratino gefratoj bofrato bofratino bogefratoj

avo(할아버지) avino geavoj

nepo(손자) nepino genepoj

onklo(삼촌) onklino geonkloj

kuzo(사촌) kuzino kekuzoj

nevo(조카) nevino genevoj

* 표현

1. tro A por B ; 영어의 too~ to~ 처럼 '너무 A 해서 B할 수 없다'로 해석

예) Li estis tro ĝoja por esti kvieta

그는 너무 기뻐서 가만히 있을 수가 없었다.

2. 비교급 pli A, ol B와 비슷하게 쓰이는 alia A, ol B도 있음

예) oni ne povis elekti alian baptopatro, ol lian patran avon.

사람들은 그의 아버지 쪽 할아버지를 제외하고(ol), 다른 이를(alian) 대부(baptopatro)로 선택할 수 없었다.

3. por -i :~하기 위해서 *때로는 결과로 해석할 수 있음

4. pluvego da kisoj : 폭우 같은 키스

〈4. Dimanĉo〉

*접사
1) 접두사
1. mal- : malagrabla 기분 나쁜 maljunulo 노인, 늙은이 malaperanta 사라지는 malcroĉi 벗기다, 풀다 malespere 절망적으로 malproksima 먼 malŝati 싫어하다
2. re- : reiri 돌아오다 다시 가다
3. ek- : ekbruligi 불피우다 ekŝanĝi 바꾸기 시작하다

2) 접미사
1. -in- : patrino 어머니
2. -et- : liteto 작은 침대 flanelĉemizeto 플라넬셔츠 jaketo 자켓 beleta 작은 ŝueto 신발 fileto 아들 ŝerckanteto 개그노래 patreto 아빠 ĝardeneto 작은 정원, 예쁜 정원
3. -eg- : varmega 뜨거운 ridego 큰 웃음소리, 껄껄웃는 소리
4. -ist- : fiŝkaptisto 어부, 고기잡이 maristo 어부, 바다사람
5. -iĝ- : edziĝi 결혼하다 naskiĝo 탄생 vundiĝi 다치다 dolĉiĝi 달콤해지다 부드러워지다
6. -ig- : konigi 알게 하다 daŭrigi 지속시키다 miriga 놀라운, 놀라게 하는 klarigi 설명하다 plenigi 채우다 ekbruligi 불피우다 dolorigi 아프게 하다
7. -ec- : infaneco 어린 시절

8. -ad- : restadi 계속 머물다 sonoradi 계속 울리다 uzado 계속적인 사용 promenadi 계속 산책하다 fumadi 담배피우다

9. -em- :

10. -ul- : maljunulo 노인, 늙은이

11. -ant- : enirante 들어오면서, 들어올 때 malaperanta 사라지는 baraktanta 몸부림치는 brilanta 빛나는

12. -il- : sonorilo 종 fiŝkaptilo 낚시대

13. -ej- : preĝejo 교회

14. -aĵ- : muzikaĵo 음악적인 것

15. -int- : alveninta 도착한

*복합어

alporti 가져오다, 데려오다 sunradio 햇살 eniri 들어오다 alveni 도착하다 flanelĉemizeto 플라넬셔츠 posttagmeze 오후에 fiŝkaptisto 어부, 고기잡이 longbarba 긴 수염의 ĉiuflanken 사방으로 ĝustatempe 제때에, 딱 맞게, 때마침 vespermanĝi 저녁 먹다 kelkfoje 때때로, 몇 번인가 ŝerckanteto 개그노래 tabakfumo 담배연기

* 숙어표현

de tempo al tempo 때때로

*복문

1) ke 절

Karlo opiniis, ke la spongoj estas tre malagrablaj objektoj

Onklo Jako klarigis, ke la fonografo ripetus,

kion ajn Karlo dirus antaŭ la maŝino

Li jam opiniis, ke ofte estas tre saĝe silenti.

Karlo decidis, ke li trovos pli agrablan plezuron ol fumadi, .

kiam la avo diris al li, ke ĉiuj maristoj fumas

2) 관계사절

Karlo ĝuis la dolĉajn sonĝojn, kiujn alportas la oraj sunradioj,

la spongoj estas tre malagrablaj objektoj, kiuj metas sapon en liajn okulojn.

Li havis (beletajn flavajn ŝuetojn kaj) ankaŭ grandan ruĝan ĉapelon, pri kiu li estis tre fiera.

por vidi la ŝipojn kaj la fiŝkaptistojn, kiuj estis tre multaj

la fonografo ripetus, kion ajn Karlo dirus antaŭ la maŝino

pri malproksimaj landoj, kiujn la avo vizitis

Karlo tre malŝatis la tabakfumon, kiu dolorigis liajn okulojn

3) 분사절

enirante en la ĉambron inter la kurtenoj de la fenestro...

4) 부사절

dum lia patrino lin helpis por lia tualeto.

kiam li estis juna

Kiam estis bela vetero

kiam li estos viro

kiam la avo diris al li, ke ĉiuj maristoj fumas
;

Dum kiam li kuretadis apud Anjo,
5) 의문사절
kial la viroj fumas

⟨7. La sonĝo de Karlo⟩

*접사
1) 접두사
1. mal- : malseke 축축하게, 젖어서 malvarme 춥게 malproksimo 먼 곳 malsupren 아래로 malpreciza 부정확한, 희미한, 막연한, 어정쩡한 malmoligita 딱딱해진 malvarmo 추위 malproksima 먼 malsupra 아래쪽의 malumiĝi 어두워지다 malsuprenirinta 아래로 간 malfrue 느리게 malantaŭen 뒤쪽으로
2. re- : reproksimiĝi 다시 가까이 가다 rememori 회상하다, 기억하다
3. ek- : ekflugi 날아가다 ekpensante 떠올리면서 ektimi 두려워하다 ekvidi 보다
2) 접미사
1. -in- : patrino 어머니
2. -et- : rondeto 둥근 것 ŝtoneto 작은 돌, 돌멩이 poŝtranĉileto 주머니칼 patrineto 엄마 dometo 작은 집 karuleto 사랑하는 아이
3. -eg- : rapidege 아주 빠르게 branĉego 큰 가지 profundegaĵo 깊은 것
4. -aĵ- : ebenaĵo 평원 subaĵo 밑부분 profundegaĵo 깊은 것
5. -iĝ- : sidiĝi 앉다 finiĝi 끝나다 surteriĝi 착륙하다 kliniĝi 기울이다 moviĝi 움직이다 malumiĝi 어두워지다 alproksimiĝi 가까워지다 ellitiĝi 침대에서 일어나다

6. -ig- : malmoligita 딱딱해진 klarigo 설명

7. -ad- : flugadi 계속 날다 zumadi 계속 윙윙거리다 pensadi 계속 생각하다 vivadi 계속 살다 restadi 계속 머물다 faladi 계속 떨어지다

8. -il- : barilo 울타리, 경계 poŝtranĉileto 주머니칼

9. -ul- : karuleto 사랑하는 아이, 귀염둥이

10. -ant- : gvidanto 안내자 tenante 잡고서 ekpensante 떠올리면서 rampanta 기어가는 pendanta 매달려 있는 siblanta 쉿 소리를 내다 oscedante 하품하면서

11. -int- : sekvinta 다음에 오는 metinte 놓고 나서 marŝinte 걷고 나서 dezirinta ~하고 싶어 한 malsuprenirinta 아래로 간 klininte 기울이고 나서

12. -it- : malmoligita 딱딱해진 pentrita 그려진 ligita 연결된 vestita 옷을 입은

*복합어

interparolo 대화 pripensi 생각하다 kunvojaĝado 함께 여행하기 aeroplano 비행기 transiri 넘어가다 trapasi 통과하다, 지나가다 montpinto 산꼭대기 surteriĝi 착륙하다 limŝtono 경계석 senfine 끝없이 poŝtranĉileto 주머니칼 flugmaŝino 비행기 forflugi 날아가 버리다 aerŝipo 비행선, 우주선 terglobo 지구 malsuprenirinta 아래로 간 diverskolora 여러 가지 색깔의 alproksimiĝi 가까워지다 ellitiĝi 침대에서 일어나다

*복문

1) ke 절

Li sonĝis, ke sinjoro de Lavel lin invitis por kunvojaĝado en sia aeroplano.~을 꿈꾸었다.

li decidis, ke li ne ĵetos ĝin.

Karlo rimarkis, ke la dometoj havas pintan tegmenton

2) 관계사절

Tie estas la ekstremo de la mondo, kiun li tiel deziris vidi.

Li premis pli forte la dikan manon, kiun li tenis.

ekpensante pri sia patrino, kiu donis ĝin al li,

Inter la domoj estis pontoj, sur kiuj aperis multaj homoj ŝajne blanke vestitaj.

3) 분사절

metinte ĝin sur la aeroplanon, 넣고 나서

Marŝinte kelkajn paŝojn,

Tenante la manon de sinjoro de Lavel,

ekpensante pri sia patrino,

Klininte la kapon malantaŭen por pli bone vidi,

oscedante,

4) 부사절

dum ili pasis super akraj montpintoj kaj teruraj rokoj. ~하는 동안

kiam ili estis jam tre malproksimaj de la

tero,

dum la aeroplano rapidege flugadis kurbe por restadi proksime al la tero.

dum kiam li senfine faladis en la profundegaĵo.

5)의문사절

Sinjoro de Lavel montris al Karlo, kiel la ebenaĵo subite finiĝas en la malproksimo.

li pensadis, ĉu li ĵetos sian poŝtranĉileton.

⟨8. La liceo⟩

*접사

1) 접두사

1. mal- : malproksime 멀리 malfacila 어려운 malalta 낮은, 키 작은 malfermi 열다, 펼치다 malnova 오래된 maldekstre 왼쪽에

2. re- : revidi 다시 보다

3. ek- : ekvidi 발견하다 ektremi 떨기 시작하다

4. pra- : praavo 선조

2) 접미사

1. -in- : sinjorino 부인

2. -et- : barbeto 수염 knabeto 아이 junuleto 아이 rideto 미소 patreto 아빠

3. -eg- : librego 큰 책, 장부

4. -aĵ- : novaĵo 새로운 것 arkaĵo 아치 konstruaĵo 건물

5. -iĝ- : fariĝi 되다 lumiĝi 밝아지다 montriĝi 보여지다 ruĝiĝo 붉어짐 serioziĝante 심각해지면서

6. -ig- : enigi 넣다 saniga 건강하게 하는 progresigi 향상시키다, 진척시키다 certigi 확신시키다, 확인하다 venigi 오게 하다 enskribigi 등록시키다 enirigi 들어오게 하다

7. -ad- : lernadi 계속 공부하다 marŝadi 계속 걷다 ekzercado 연습, 훈련 observadi 관찰하다 venadi 오다

8. -em- : timeme 수줍어서, 낯가리고, 소심하게

9. -ist- : instruisto 선생님 servisto 직원

10. -at- : akceptata 받아들여지는, 채택되는

11. -int- : elirinte 나온 뒤에

12. -ant- : lernanto 학생 vidante 보면서

13. -ej- : lernejo 학교 direktejo 교장실

14. -ar- : biletaro 표 묶음 arbaro 숲 ŝtuparo 계단

15. -ind- : bedaŭrinde 유감스럽게

16. -ebl- : espereble 희망하건대, 기대하건대 neesprimebla 표현할 수 없는

17. -estr- : liceestro 교장

*복합어

tramvojo 전차길 ororanda 금테의 okulvitroj 안경 alkonduki 안내하다 eltrovi 찾아내다, 발견해내다 antaŭnomo 중간성 neesprimebla 표현할 수 없는 elirinte 나온 뒤에skriboĉambro 등록실, 서재

*복문

1) ke 절

liaj gepatroj opiniis, ke li sufiĉe longe restis en infana lernejo.

Por esti akceptata en la liceo, estis necese, ke Karlo sukcesu en ekzameno antaŭe.

Tamen sinjoro Davis volis certiĝi, ke lia filo sukcesos,

vidante, ke lia filo distrate ne aŭdis la demandon.

li ekvidis, ke la direktoro havas harojn en la

oreloj,

2) 관계사절

Liceo estis la nomo de la oficialaj lernejoj, kie la knaboj lernadas, ĝis kiam ili fariĝas studentoj.

pro tio li venigis hejmen junan instruiston, kiu dum kelkaj semajnoj pli multe progresigis Karlon en la scio pri aritmetiko kaj ortografio, ol sinjorinoj Linar en kelkaj jaroj.

Mi ĝojas vin revidi, kaj alkondukas al vi mian knabeton Karlo, kiu estos espereble bona lernanto en la liceo.

Lia vizaĝo lumiĝis per unu el tiuj knabaj malicaj ridetoj kiuj montriĝas sur la lipoj, en la okuloj kaj eĉ per ruĝiĝo de la nazo.

3) 분사절

vidante, ke lia filo distrate ne aŭdis la demandon.

serioziĝante,

Elirinte el la skribocĉambro de la direktoro,

4) 부사절

Kiam Karlo estis dek-dujara,

ĝis kiam ili fariĝas studentoj.

kiam la servisto lin enirigis kun lia filo en la direktejon,

kiam ili estis knaboj.

〈9. Ekzameno〉

*접사
1) 접두사
1. mal- : malsukcesi 실패하다 malbona 나쁜 maljusta 불공평한, 부당한, 불의의 malantaŭe 뒤에 maldekstren 왼쪽으로 malsupreniri 아래로 가다 malfermita 열려진 열린 malantaŭ ˜의 뒤에 malgrasa 비쩍 마른 malkontente 불만스럽게 malsprita 어리석은, 둔한, 바보같은
2. re- : reprovi 다시 시도하다 rekapti 다시 잡다
3. ek- : ekvidi 발견하다 eksonori 울리기 시작하다 ekiri 출발하다 ekridego 큰 웃음소리 ektusi 기침하기 시작하다 ektremi 떨기 시작하다

2) 접미사
1. -in- : sinjorino 부인, 여사
2. -et- : knabeto 소년 birdeto 작은 새
3. -eg- : ekridego 큰소리로 웃기 시작하기
4. -aĵ- : konstruaĵo 건물
5. -iĝ- : troviĝi 있다, 발견되다 sidiĝi 앉다 komenciĝi 시작되다
6. -ig- : klarigi 설명하다 forflugigi 멀리 날아가게 해버리다 saltigadi 계속 뛰어오르게 하다 sciigo 알리기 timigita 겁먹은 plenigi 채우다
7. -ad- : saltigadi 계속 뛰어오르게 하다 laborado 일, 작업 promenadi 계속 산책하다, 계속 거닐다 skribado 쓰기

8. -em- : timema 수줍은, 낯가리는, 소심한

9. -ist- : matematikisto 수학자 aŭtomobilisto 오토바이운전자

10. -at- : konato 아는 사람

11. -it- : kombita 머리 빗은 timigita 겁먹은

12. -ant- : lernanto 학생 sekvante 따라서, 이어서 parolanta 이야기하는

13. -ej- : lernejo 학교

14. -ar- : skribilaro 필기도구 ŝtuparo 계단

15. -ind- : kompatinda 가엾은, 불쌍한

16. -ec- : rapideco 속도

17. -il- : skribilaro 필기도구 sonorilo 종 ŝlosilo 열쇠

18. -uj- : inkujo 잉크병

19. -aĉ- : agaĉo 나쁜 짓, 잘못된 짓

20. -aĵ- : skribverkaĵo 작문

21. -ul- : sovaĝulo 야만인

*복합어

ĉiumomente 순간마다, 시시각각 jarfina 학기말 plimulto 대다수 supreniri 올라가다 malsupreniri 내려가다 eniri 들어가다 lipharoj 콧수염 altkreska 키 큰 forflugigi 날려버리다, 날아가게 해버리다 bonkonduto 좋은 처신, 방정한 품행 depreni 벗다, 제거하다, 빼다 skribverkaĵo 작문 preterpasi 지나가다, 지나치다, 앞지르다 forveturi (˜을 타고) 떠나다 ĉiufoje 매번, 번번이, ˜할 때마다

*복문

1) ke 절

Karlo tuj iris saluti Belnett-on kun granda ĝojo, ke li fine trovis iun konaton.

Li klarigis al Karlo, ke pri tio ne li estas kulpa,

Belnett ja decidis, ke iam li sin venĝos.

Karlo rimarkis, ke la plimulto de la knaboj havas sian ĉapon flanke aŭ malantaŭe sur la kapo.

Supre ili trovis profesoron kun longaj lipharoj, kiu ordonis, ke ili malsupreniru

Karlo opiniis, ke li estas certe bona kaj afabla viro,

supoze, ke sinjoro A forveturis de la urbo je la naŭa kaj duono matene,

2) 관계사절

Li portis belan ledan sakon, tute novan, kiun lia patro ĵus donacis al li.

Fine Karlo ekvidis kamaradon, kiu estis du jarojn kun li en la lernejo de sinjorinoj Linar.

la profesoro de matematiko, kun kiu li havis antaŭe disputon, kaj kiu donis al li la plej malbonan noton ĉe la ekzameno.

Supre ili trovis profesoron kun longaj lipharoj, kiu ordonis,

li deprenis sian ĉapelon por peti sciigon de Belnett, kies laŭta ekridego forflugigis lin kvazaŭ timigitan birdeton.

Ĉiufoje kiam li preterpasis, la pala knabeto flanke de Karlo ektremis

3) 분사절

Kredante, ke tio estas kvazaŭ oficiala kutimo,

Sekvante unu la alian kvazaŭ ŝafoj, ili supreniris.

4) 부사절

Karlo atendis momenton, kiam neniu lin rigardis,

ĉar la sonorilo tuj eksonoris,

Kiam ĉiuj estis en la klaso, la malgrasa knabeto venis

li estas certe bona kaj afabla viro, ĉar li havas tiel brilajn okulojn

모범답안 예시

1장

1. Ĉu la gepatroj de Karlo estis junaj, kiam li naskiĝis?

Jes, ili ankoraŭ estis tre junaj, kiam rozkolora kaj sana Karlo naskiĝis.

2. Ĉu Karlo estis la unua infano de S-ro Davis?

Jes, Karlo estis la unua infano de la gesinjoroj Davis kaj la patro de Sinjoro Davis.

3. Kion faris la patro de Sinjoro Davis?

Post la naskiĝo de Karlo, li ne povis laborí en sia oficejo, ĉar li estis iom ekscítíta kaj kortuŝa. Li kuradis de sia domo al la domo de lia filo.

4. Kiel oní anoncis la naskiĝon al la gepatroj de sinjorino Davis?

Ili loĝis en granda urbo, tial oni anoncis al ili la naskiĝo de ilia nepo telegrafe.

5. Kiom kostas la sendo de telegramo?

Mi ne scias, ĉar ne estis la informo pri tio. Tamen mi supozas ke ĝi ne estis multekosta.

6. Donu kelkajn baptonomojn de knaboj kaj knabinoj?

En Koreio, ne estas baptonoma sistemo. Ĉi tiu demando estas iom malfacila respondi.

7. Kion oni faris al Karlo en la preĝejo?

La bapta ceremonio okazis tie. Oni nomis lin Karlo-Teodoro por kontentigi lian patran avon kaj lian patrinan avon.

2장

1. Ĉu gesinjoroj Davis estis riĉaj?

Ne, ili ne estis riĉaj, tamen ili ne estis malriĉaj.

2. Kie ili loĝis?

Ili loĝis en plej ĉarma dometo apud la urbeto.

3. Citu kelkajn meblojn, kiuj troviĝas en via hejmo?

En mia hejmo estas du skribotabloj, unu estas por mi, la alia estas por mia edzino, ĉiu skribotablo havas du seĝojn.

4. Kion faris la patro de Karlo?

Li laboris en filio de la Nacia Banko kiel ĉefkomizo.

5. Ĉu li multe elspezis?

Ne, li ne elspezis multe kaj lia edzino ankaŭ ne elspezis multe.

6. Ĉu Karlo estis ĵaluza?

Ne, li ne estis ĵaluza kvankam li ekhavis fratineton kiam li estis dujara.

7. Kiel oni nomis lian fratinon?

Oni nomis ŝin Helenjo.

8. Per kio Karlo konstruis ŝipon?

Li konstruis ŝipon per tablo, seĝoj kaj paperkorbo.

9. Sur kion li sidigis Helenjon?

Li sidigis Helejon sur komforta kuseno.

10. Per kio oni kudras?

Oni kudras per kudrilo kaj kudromaŝinoj.

11. Kiu estas la plej granda firmo por la fabriko de kudromaŝino?

Mi ne scias certe, verŝajne Brother Missing.

12. Kiu ĉambro estis en la supro de la domo?

Supre en la domo estis longa subtegmenta ĉambro.

13. Kio estis en ĝi?

Ĉiaj kestoj, korboj, seĝoj kaj malnovaj objektoj kuŝis tie.

14. Ĉu Karlo ŝatis iri tien?

Jes, li tre ŝatis iri tien.

15. Kion li faris en tiu ĉambro?

Li plezurege ĉirkaŭpromenis, malfermis la kestojn, palpis kaj malordigis ĉiujn aferojn.

16. Kiu kondukis lin malsupren?

Lia patrino aŭ la servistino faris tion.

17. Ĉu estas lifto en via domo?

Jes, estas lifto en mia domo.

18. Ĉu vi loĝas sur la unua etaĝo?

Ne, mi loĝas sur dudeka estaĝo.

19. Kiom da loĝantoj estas en via urbo?
Ĉirkaŭ 40,000 loĝantoj estas en mia urbo.

3장

1. Kiel nomiĝis la servistino de S-ino Davis?
Oni nomis ŝin Anjo.
2. Ĉu ŝi estis diskreta?
Jes, ŝi estis diskreta kaj fidela.
3. Kiu estis la koloro de ŝiaj vangoj?
La koloro de ŝiaj vangoj estis ĉiam ruĝaj.
4. Ĉu ĉiuj pomoj estas ruĝaj?
Ne, ĉiuj pomoj ne estas ruĝaj. Estas ruĝaj, verdaj kaj flavaj pomoj.
5. Kio estas en la mezo de pomo?
En la mezo de pomo estas pomsemoj.
6. Citu kelkajn fruktojn.
Piro, pruno, persiko, vinbero.
7. Kiun vi preferas?
Mi ŝatas esperanton, tamen mi preferas mian edzinon ol Esperanto.
8. Ĉu Karlo kelkafoje tiris la kufon de Anjo?
Jes, li kelkafoje fortiris ĝin por vidi la koloron de ŝiaj haroj.
9. Kien iris Karlo kun la servistino?
Ili iris al la legomvendejo kelkagoje.
10. Kion li portis?
Li portis malpezan retsakon.
11. Kiuj personoj estis sur la publika placo?

La vendistoj kun siaj tabloj kaj korbegoj plenaj je brasikoj, terpomoj, fromaĝoj, fruktoj.

12. Kion ili faris?

Ili alvenis al la publika pkaco.

13. Citu kelkajn legomojn?

Brasiko, pizo, laktuko, karoto, terpomo, batato.

14. Kion aĉetis Anjo?

Ŝi aĉetis deversajn legomojn kaj grandan pecon da butero.

15. Ĉu Karlo helpis Anjon por prepari la tablon?

Jes, li helpis Anjon meti la telerojn sur la tablon kelkafoje.

16. Kiom da tasoj rompis Karlo?

Li rompis unu tason kiam li provis porti tri samtempe.

17. Kion li respondis al la riproĉoj de Anjo?

Estus pli multe saĝe, se vi irus tuj serĉi alian tason.

18. Ĉu Helenjo estis amata de sia frato?

Jes, Karlo tre amis sian fratineton.

19. Kion opiniis Karlo pri Helenjo?

Li opiniis, ke ŝi estas delikata kaj bezonas multe da zorgojn.

20. Kiujn ludilojn preferas la knabinoj?

Tio dependas de la karakterizoj de la knabinoj.

21. Ĉu kelkafoje Helenjo ploris?

Jes, ŝi tre ofte ploris kiam ŝi estis timigata.

22. Kiam oni ploras?

Oni ploras kiam oni ekhavas malfeliĉajn kaj malĝojajn aferojn.

4장

1. Kion faris Karlo dimanĉe matene?

Li restis longe en sia liteto kaj ĝuis la dolĉajn sonĝojn, kiujn alportis oraj sunradioj.

2. Kiu helpis lin por lia tualeto?

Lia patrino helpis lin dum la sonoriloj de la preĝejoj sonoradis.

3. Kion li opiniis pri la spongoj?

Li opiniis, ke la spongoj estas tre malagrablaj objektoj, kiuj metas sapon en liajn okulojn.

4. Per kio vestis sian filon S-ino Davis, dimanĉe?

Ŝi vestis Karlon per brodita flanelĉemizeto, blanka pantalono kaj blua jaketo.

5. Kiuj personoj estis sur la bordo de la rivero?

Sur la bordo de la rivero estis seriozaj sinjoroj, longbarbaj maljunuloj kaj ankaŭ multaj knaboj.

6. Ĉu ili faris multe da bruo?

Ne, ili ne faris multe da bruo.

7. Kiu venis ofte por vespermanĝi?

La avo kaj onklo Jako venis ofte por vespermanĝi.

8. Kion alportis la onklo?

Li alportis sian fonografilon.

9. Pri kio parolis la avo?

Li parolis pri la infaneco de sia patreto aŭ pri malproksimaj landoj, kiujn li vizitis.

10. Kie sidis la familio dum somero?

La familio sidis en la ĝardeneto dum bela vetero.

11. Nomu la kvar sezonojn de la jaro.

Printempo, somero, aŭtuno kaj vintro.

12. Kiun vi preferas?

Mi preferas instrui Esperanton ol la angla.

13. Ĉu la patro fumis?

Ne, li ne fumas.

14. Kiom kostas bona cigaro?

Mi ne scias pri tio ĉar mi ne estas fumanto.

15. Ĉu la maristoj ofte fumas?

Jes, ili ofte fumas ĉar ili ne havas alajn plezurojn en la ŝipo.

5장

1. Kiu unue instruis Karlon?

Lia patrino unue instruis la literojn de la alfabeto al Karlo.

2. Kion faris la patrino de Karlo?

Ŝi sidigis lin apud si kaj malfermis grandan

libron kun nigraj signoj.

3. Kion opiniis Karlo?

Li opiniis, ke la homoj estas vere mallertaj kaj sensencaj : kial ili ne venas mem diri siajn rakontojn?

4. Kiujn literojn li facile rekonis?

Li facile rekonis la literojn S kaj ankaŭ O kaj C.

5. Al kio similas la litero S?

La litero S similas al serpento.

6. Kiu kondukis Karlon al la lernejo?

Sinjorino Davis mem kondukis Karlon al la lernejo la unuan fojon.

7. Kion li rimarkis sur la muro?

Li rimarkis la desegnitan vizaĝon sur la muro.

8. Kiun demandon li faris?

Ĉu tio estas   via portreto aŭ tiu de la maljuna virino?

9. Per kio Karlo makulis siajn manojn?

Li makulis siajn manojn per inko.

10. Ĉu oni povas skribi sen inko kaj sen plumo?

Jes, oni povas skribi per aliaj iloj kiel krajonoj aŭ vergoj(sur grundo).

11. Ĉu Karlo estis en geknaba lernejo?

Jes, li estis en geknaba lernejo.

12. Per kio li viŝis siajn manojn?

Li viŝis siajn manojn per sia antaŭtuketo.

13. Kiu ridis pri li?

Beleta knabineto, kiu sidis apud li, multe ridis.

14. Ĉu de multaj jaroj oni uzas la skribmaŝinojn?

Jes, oni uzas la skribmaŝinojn de multaj jaroj, tamen oni ne plu uzas ilin nuntempe.

15. Ĉu vi jam havis okazon uzi skribmaŝinon?

Jes, mi iam havis okazon uzi ĝin, kiam mi laboris dum mia militservo.

16. Ĉu vi estas stenografiisto?

Ne, mi ne estas stenografiisto.

6장

1. Kiu invitis Karlon por vojaĝi en aeroplano?

Sinjoro de Lavel, la riĉa amiko de lia patro invitis lin por kunvojaĝoado en sia aeroplano.

2. Kion montris S-ro de Lavel al Karlo?

Li montris al Karlo, kiel la ebenaĝo subite finiĝas en la malproksimo.

3. Ĉu Karlo iom timis?

Jes, li ektimis iom sed nenion diris kiam ili veturis malsupren sur ilia flugmaŝino.

4. Kion faris la aeroplano?

La aeroplano transpasis super la barilo kaj flugadis tute rekte for de la tero.

5. Kiujn domojn ekvidis Karlo?

Li ekvidis verajn domojn pendantajn sub la tero, kiuj estis multaj kaj lignaj dometoj deverskolore pentritaj.

6. Ĉu ilia tegmento estis ronda?

Ne, ĝi ne estis ronda. Ĝi estis pinta.

7. Kio estis inter la domoj?

Inter la domoj estis pontoj, sur kiuj aperis multaj homoj ŝajne blanke vestitaj.

8. Kion faris Karlo por pli bone vidi?

Li klinis sin por vidi pli bone.

9. Kio okazis?

Karlo perdis sian ekvilibron kaj falis en la abismon.

10. Kiu vekis lin?

Lia patrino vekis lin.

11. Rakontu sonĝon, kiun vi faris.

De tempo al tempo mi havis amuzan sonĝon, en kiu mi flugis rapide tuj supre de la grundo kiel superahomo.

7장

1. Kiel Karlo prezentis al si la formon de la mondo?

Post la montoj estas maroj, teroj kaj denove montoj ĝis la du ekstremaĵoj de la mondo. Tie estas muro aŭ barilo.

2. Ĉu li bone komprenis la geografion?

Jes, li tre bone komprenis la geografion.

3. Kion li studos en la lernejo, krom la geografio?

Li studos matematikon, sciencon, arton, historion k.t.p.

4. Kio estas aeroplano?

Ĝi estas aparato, per kiu oni povas flugi en la ĉielo.

5. Kiu fabrikas la panon?

La panisto fabrikas la panon.

6. Kaj la kukojn?

La panisto ankaŭ povas fabriki la kukojn.

7. Kion oni povas aĉeti ĉe la spicisto?

Oni povas aĉeti diversajn spicojn ĉe la spicisto.

8. Kiom kostas unu funto da pano?

Mi ne scias certe.

9. Kion oni metas sur la ĉapelojn por sinjorinoj?

Oni metas rubandojn kaj plumojn sur la ĉapeloj por sinjorinoj.

10. Kiu profesio plej plaĉis al Karlo?

La kuiristo en hotelo aŭ veturigisto plej plaĉis al li.

8장

1. Kiun aĝon havis Karlo, kiam li ekiris al liceo?

Li estis dekdujara kiam li ekiris al liceo.

2. Ĉu la liceo estis proksime de lia hejmo?

Ne, ĝi estis malprosime kaj Karlo devas marŝadi dudek minutojn por tien iri de sia hejmo.

3. Ĉu Karlo estis multe lerninta ĉe S-inoj Linar?

Jes, li studis dum kelkaj jaroj ĉe sinjorinoj Linar.

4. Kion diris la patro al la direktoro?

Kiel vi estas? Mi ĝojas vin revidi, kaj alkondukas al vi mian knabeton, kiu estos espereble bona lernanto en la liceo.

5. Pri kio okupiĝis Karlo, kiam oni demandis lin?

Li okupiĝis pri la muŝo, kiu dronis en la kupran inkujon.

6. Kion li devis alporti por la ekzameno?

Li devis alporti inkon, plumon, krajonojn kaj blankan paperon por la ekzameno.

7. Kion montris S-ro Davis al sia filo?

Li montris la internan korton de la liceo al sia filo.

8. Ĉu la lernejo estis tute nova?

Ne, ĝi ne estis tute nova. La malnova parto de la lernejo staris meze de la novaj konstruaĵoj.

9. Ĉu vi jam provis ekzamenon?

Jes, mi jam provis du ekzamenojn.

9장

1. Kiun renkontis Karlo ĉe la ekzameno?

Li renkontis kamaradon, kiu ĉeestis du jarojn kun li la lernejon de sinjorinoj Linar.

2. Kial Belnett devis provi la ekzamenon?

Ĉar li malsukcesis la jarfinan ekzamenon.

3. Kion rimarkis Karlo?

Li rimarkis, ke la plimulto el la knaboj havas sian ĉapon flanke aŭ malantaŭe sur la kapo.

4. Kion faris la profesoro, kiu parolis kun la direktoro?

Li senpense saltigadis la ŝlosilon de la klaso super sia mano kaj ĝin ĉiufoje rekaptis.

5. Kion diktis la profesoro?

Li diktis la ekzamenajn demandojn.

6. Ĉu la problemo estis tre malfacila?

Ne, ĝi verŝajne estis malfacila al iu studentoj, kiuj ne estis preta por la ekzameno.

7. Ĉu vi jam vidis kuradon de aŭtomobiloj?

Jes, kompreneble mi jam vidis kuradon de aŭtomobiloj.

10장

1. Ĉu Karlo sukcesis por la ekzameno?

Jes, li sukcesis la ekzamenon kaj estis akceptita ĉe la liceo.

2. Je kioma horo komenciĝis la lecionoj?

La lecionoj komenciĝis je la oka horo kaj daŭris ĝis la dekdua matene.

3. Ĉu Karlo havis multe da tempo por la tagmanĝo?

Ne, li ne havis multe da tempo, tial li devis rapidi hejmon por tio.

4. Kion li faris post kelkaj semajnoj?

Li ne kisis plu sian fratinon kaj ne plu marŝis sur la trotuaroj.

5. Kiu estis la alnomo de Rigar?

Tiu estis tre dika, kiun oni nomis kukurbo.

6. Ĉu Holder estis parolema?

Ne, li estis silenta kaj ĉiam pensema.

7. Kie loĝis Belti?

Belti loĝis ekster la urbo kiel Travis.

8. Kiu estis la plej fidela amiko de Karlo?

La plej fidela amiko de Karlo estis Janko.

11장

1. Kion diris la profesoro de latina lingvo?

Li diris per sia laŭta voĉo lupus, lupi, discipulus, discipuli, Jen du substantivoj de la dua deklinacio.

2. Ĉu Rigar aŭskultis?

Ne, li ne aŭskultis, tiam li dormis.

3. Ĉu vi parolas angle?

Jes, mi povas paroli angle iomete.

4. Kiom de tempo vi lernis Esperanton?

Mi eklernis Esperanton antaŭ kvar jaroj.

5. Kion faris Man?

Li engravuris sian tutan antaŭnomon sur la benko.

6. Ĉu la profesoro lin gratulis?

Ne, li ne gratulis lin. Li provis doni al li punon.

7. Ĉu la lernantoj sidis sur seĝoj?

Jes, ili sidis sur seĝoj.

8. Kion ekvidis la profesoro sur unu tablo?

Li ekvidis la malnovan surskribaĵon de lia patro.

9. El kiuj lignoj oni faras tablojn?

Mi ne scias certe pri tio.

10. Nomu la kolorojn, kiujn vi konas.

Blanka, nigra, verda, flava, griza, blua, ruĝa, purpura ktp.

12장

1. Ĉu Karlo estis feliĉa?

Jes, li estis feliĉa ĉar li havis veran amikon.

2. Kiu estis la nomo de vera amiko?

Lia nomo estis Janko.

3. Ĉu li estis multe pli aĝa ol Karlo?

Ne, li nur estis ses monatoj pli aĝa.

4. Kion demandis la profesoro de geografio?

Li demandis: Janko, ĉu vi enuas tie ĉi?

5. Ĉu Karlo estis najbaro de Janko?

Ne, li ne estis najbaro de Janko.

6. Ĉu Janko multe sciis?

Jes, Janko estis vera scienculo.

7. Kion diris Karlo al Janko?

Li diris siajn sekretojn.

8. Ĉu Janko ĉiam tuj repondis la demandojn?

Ne, kelkafoje li respondis la morgaŭan tagon.

9. Kion faris la patro de Janko?

Li estis presisto.

10. Kiu viro elpensis la presarton?

Gutenberg elpensis la presarton.

11. Ĉu estas publika biblioteko en via urbo?

Jes, en mia urbo estas unu publika biblioteko.

13장

1. Kio estas la gimnazio?

Ĝi estas la pli alta parto de la liceo.

2. Kiujn kamaradojn havis Karlo?

Li havis la samajn kamaradojn kiel en la unuaj jaroj.

3. Kion diris Janko al Karlo iun matenon?

"Estas neeble restadi ĉi tie, ĉu ni foriru ien ajn?"

4. Ĉu Karlo akceptis la proponon?

Jes, li akceptis la proponon de Janko.

5. Kion faris la tri junuloj?

Ili iri al la bordo de la rivero. Tie ili luis

boaton kaj ekremis ĝin norden.

6. Ĉu la pluvo falis?

Ne, la pluvo ne falis. La vetero estis belega.

7. Kion eltiris Karlo el sia poŝo?

Li eltiris sian poŝhorĝoon por vidi la horon.

8. Kioma horo estas nun?

Nun estas la deka kaj dek minutoj.

9. Ĉu vi scias remi kaj naĝi?

Jes, mi iom scias remi. Tamen mi ne povas naĝi bone.

10. Kion diris la profesoro al Karlo?

"Bonan tagon, Davis. Vi venu al mia domo je la kvara kaj duono. Mi havas ion por diri al vi."

14장

1. Ĉu Karlo havis — de greka — la morgaŭan tagon? Ne, ĉar la — estis malsana.

la klason, lingvo, profesoro

2. Ĉu s-ro Jehman diris ion al la — ? Ne, li diris — ?

tri knaboj, nenion pri la forvago de la tri knaboj.

3. — da infanoj havis la profesoro? — havis —

Kiom, Li, kvar junajn infanojn.

4. Kie — lia edzino? Ŝi mortis — Milano.

mortis, en

- 174 -

5. — donis la — al Karlo? Du librojn.

Kiom da librojn, profesoro

6. Ĉu la profesoro — Karlon? —, li — punis

—.

punis, Ne, ne, lin

15장

1. Kion faris la familio Davis dimanĉe?

La familio Davis iris al la ĉefpreĝejo matene je la duono post la deka.

2. Ĉu la katedra preĝejo estis nova?

Ne, ĝi ne estis nova. Ĝi estis tre malnova katedra preĝejo.

3. Kiun renkontis Karlo en la muzeo?

En la artmuzeo li renkontis fraŭlinon, kiun li vidadis en la katedra preĝejo.

4. Kion diris la fraŭlino iun tagon?

Ŝi diris al ili; "Vi do venos ludi en la Nacian Parkon hodiaŭ posttagmeze, ĉu ne?"

5. Kion faris Karlo?

Li decidis, ke li ankaŭ iros al la parko posttagmeze. Tie li havis mirindajn ŝancojn redoni al ŝi falintan pilkon dufoje.

6. Kie loĝis la fraŭlino?

Ŝi loĝis en kastelforma dometo kun belega florĝardeno plene je rozoj.

7. Nomu kelkajn florojn kaj diru, kiun vi preferas?

Forsitio, azeleo, rozo, tulipo, magnolio ktp.
Mi preferas rozojn.
8. Kiuj birdoj estis en la ĝardeno?
En la ĝardeno kelkaj nigraj birdoj pepante
interbataletis.

16장

1. Ĉu Janko povis — al sia — informojn? Jes,
— povis, post kelkaj —.
doni, amiko, li, tagoj.
2. — mortis en la — de Karlo? Lia —.
Kiu, familio, avo.
3. Kie — la avo? — — lito.
kuŝis, Sur lia
4. — oni kondukis la — ? Al la tombejo.
Kien, ĉerkon
5. Per — oni rekovris la — ? Oni rekovris —
per tero.
kio, fosaĵon, ĝin
6. — kio pensis Karlo? — pensis pri la —,
kiuj jam kuŝas sub la —.
Pri, Li, ĉiuj, tero

17장

1. Al kiu urbo veturis Karlo?
Li forveturis al Heidelberg.
2. Kiom da monatoj li restis tie?
Li restis tie unu jaron.

3. Nomu la tagojn de la semajno kaj la monatojn de la jaro.

Lundo, mardo, merkredo, ĵaŭdo, vendredo, sabato, dimanĉo, kaj Januaro, februaro, marto, aprilo, majo, junio, julio, aŭgusto, septembro, oktobro, novembro, decembro.

4. Al kiu ofte skribis Karlo?

Li skribis longajn leterojn al sia amiko Janko.

5. Kion li studis speciale?

Li studis medicinon speciale.

6. Nomu kelkajn sciencojn kaj artojn.

Natura scienco, fizikscienco, filozofio, biologio, psikologio, literaturo ktp.

7. Ĉu Karlo ŝatis skribi poeziojn?

Jes, li certe ŝatis skribi poeziojn.

8. Donu kelkajn vortojn rimantajn kun "vento".

Evento, tento, sento, elemento, diligento, agento ktp.

9. Ĉu vi preferas prozon aŭ versojn?

Mi preferas prozon pli ol versojn.

18장

1. — ? Jes, ĉiusomere.

Ĉu Karlo veturis hejmen por pasigi kelkajn semajnojn?

2. — ? Kun siaj gepatroj kaj Heleno.

Kun kiuj Karlo pasigis kelkajn semajnojn

hejme?

3. — ? Kun juna advokato en la urbo.

Kiam Karlo revenis hejmen, kun kiu li trovis sian fratinon?

4. — ? Jes, li havis multajn amikojn.

Ĉu lia estonta bofrato havis mutajn amikojn?

5. — ? Ĉar li havis afablan karakteron.

Kial lia estonta bofrato estis tre bone konata?

6. — ? Li estis profesoro en la Kalkuta Universitato.

Kiu estis la amiko de fianĉa patro de Heleno?

7. — ? Li revenis por sia sano.

Por kio la profesoro revenis el Kalkuta?

8. — ? Li diris al Karlo, ke la profesoro estas tre klera.

Kion la juna advokato diris al Karlo pri la profesoro?

9. — ? Jes, li estis akceptata tre afable.

Kiam Karlo vizitis la profesoron, ĉu li estis akceptata tre afable?

10. — ? Ŝi estis ĉirkaŭe dudekjara.

Kian aĝon la junulino havis?

11. — ? Ĝi estis verkita de Karlo.

Kiu verkis tiun kanton, kiun la faŭlino Alico lernis por kanti?

12. — ? Jes, li estis tre feliĉa.

Ĉu Karlo estis feliĉa?

19장

1. Ĉu Karlo kelkafoje revenis hejmen?

Jes, li revenadis hejmen por Kristnasko, por Pasko kaj por la someraj monatoj.

2. Kiun tezon li prezentis?

Li prezentis sian tezon pri la influo de la imagemo en la muskolaj malsanoj.

3. Sur kiu etaĝo li luis ĉambraron?

Li luis ĉambraron sur ls unua etaĝo de komforta domo tute proksime je la vendoplaco.

4. Kiu helpis Karlon?

Alico helpis lin por aranĝi la ĉambraron.

5. Kiuj objektoj troviĝas ĝenerale en salono kaj en manĝoĉambro?

Manĝotablo, seĝoj, komforta sofo, televidilo ktp.

6. Kion donis Alico al sia fianĉo?

Ŝi donis grandan kopion de la itala pentraĝo al Karlo.

7. Kies tezo ne multe vendiĝis?

La tezo de Karlo ne vendiĝis multe ol lia poemlibro.

8. Ĉu vi legis la tezon de S-ro Doktoro Corret pri la utileco de internacia lingvo por medicino?

Ne, mi ne legis lian tezon. Ankaŭ mi ne scias

kio ĝi estas.

9. Kio estas en la kapo?.

Tio ŝajne estas malfacila demando. Fakte, mi ne komprenas ĉi tiun demandon. Mi nur pensas, ke deversaj cerbĉeloj estas en la kapo.

10. Per kio oni vidas?

Oni vidas per okuloj.

11. Nomu la diversajn partojn de la homa korpo.

Kruroj, manoj, kolo, gorĝo, nuko, stomako, koro ktp.

12. Kiu mano estas ĝenerale pli lerta?

Mia mano ĝenerale estas pli lerta ol mia edzina mano.

13. Kiel oni nomas viron, kiu ne povas vidi?

Oni nomas tiun viron blindulo.

14. Kiel skribas la blinduloj?

Ili povas skribi per brajlo.

20장

1. — ? Li estis kuracisto.

Kio estis Karlo

2. — ? Ne, ĝi ne estis tre longa.

Ĉu la edziĝovojaĝo de Ķarlo estis longa?

3. — ? Ŝi deziris viziti Italujon.

Kien Alico deziris viziti?

4. — ? Jes, tiu lando estas tre bela.

Ĉu Svislando estas bela?

5. — ? Ili haltis en Lucerno.

Kiun urbon en Svislando haltis la junaj geedzoj?

6. — ? Jes, tiu urbo estas ĉe la bordo de lago.

Ĉu la urbo Lugano estas ĉe la bordo de lago?

7. — ? Ili restis en Lugano dum kelkaj tagoj.

Kiom da tagoj la junaj geedzoj restis en Lugano?

8. — ? La restoracio en la stacidomoj estas nomata bufedo.

Kiel la restoracio en la stacidomoj estas nomata?

9. — ? Estas la lokomotivo, kiu trenas la vagonaron.

Kiu estas en la trajno?

10. — ? Jes, dum la vintro la svisaj montoj estas tute kovrataj de neĝo.

Ĉu la svisaj montoj estas kovrataj de neĝo dum la vintro?

11. — ? Jes, Venezio estas tre malnova urbo.

Ĉu Venezio estas malnova urbo?

12. — ? Sur la kanaloj oni veturas per gondoloj.

Kie oni veturas per gondoloj?

13. — ? Jes, tiuj ŝipetoj estas tre graciaj.

Ĉu tiuj ŝipetoj estas graciaj?

14. — ? La sono de la violono estas pli bela,

ol tiu de la gitaro.

Kiu sono estas pli bela inter violono kaj gitaro?

15. — ? La vaporŝipo estis haltonta ĉe Napolio.

Kie la vaporŝipo estis haltonta?

16. — ? Jes, Karlo fariĝis konata kaj bone sukcesis.

Ĉu Karlo fariĝis konata kaj sukcesis?

옮긴이의 한 마디

1980년대 에스페란토를 학습한 이후 에드몽 프리바의 『자멘호프의 삶』을 구해 다 읽었습니다. 자멘호프의 평화와 내적 사상, 인류인주의, 1민족 2언어의 이상을 위해 마음을 쏟고 평생회원이 되었지만 신앙생활과 직장생활에 몰두하다보니 늘 운동의 언저리에서 구경꾼만 된 것이 못내 아쉽습니다.

2019년 명예퇴직을 한 후 즐겁게 읽은 율리안 모데스트의 소설을 번역하면서 세월을 보내던 중 출판사를 차렸습니다.

100권이 넘는 책을 출판하면서 함께읽기에도 열심히 참가하였습니다. 에드몽 프리바가 초급학습후 읽기 좋은 책으로 쓴 이 책을 읽으면서 여러 사람의 도움을 받으며 번역을 해서 읽기방에 올렸습니다.

이현숙(Jesa) 선생님과 **박정숙 선생님**이 예전에 했던 학습자료를 첨가하고 **전정하(Esperamo)** 선생님의 대답을 참고하여 질문에 대한 모범답안으로 여기에 함께 실으니 초급자들의 학습에 큰 도움이 되기를 바랍니다.

많은 사람들이 국제어 에스페란토가 만들 이상적인 사회를 꿈꾸며 희망하는 자로 살기를 소망하며 이 글을 펴내니 즐겁게 읽으시기를 바랍니다. 감사합니다.

2024년 5월

오태영(Mateno, 진달래출판사 대표)

‖ 진달래 출판사 간행목록 ‖

율리안 모데스트의 에스페란토 원작 소설
- 에한대역본
『바다별』(단편 소설집, 오태영 옮김)
『사랑과 증오』(추리 소설, 오태영 옮김)
『꿈의 사냥꾼』(단편 소설집, 오태영 옮김)
『내 목소리를 잊지 마세요』(애정 소설, 오태영 옮김)
『살인경고』(추리소설, 오태영 옮김)
『상어와 함께 춤을』(단편 소설집, 오태영 옮김)
『수수께끼의 보물』(청소년 모험소설, 오태영 옮김)
『고요한 아침』(추리소설, 오태영 옮김)
『공원에서의 살인』(추리소설, 오태영 옮김)
『철(鐵) 새』(단편 소설집, 오태영 옮김)
『인생의 오솔길을 지나』(장편소설, 오태영 옮김)
『5월 비』(장편소설, 오태영 옮김)
『브라운 박사는 우리 안에 산다』(희곡집)
『신비로운 빛』(단편 소설집, 오태영 옮김)
『살인자를 찾지 마라』(추리소설, 오태영 옮김)
『황금의 포세이돈』(장편 소설집, 오태영 옮김)
『세기의 발명』(희곡집, 오태영 옮김)
『꿈속에서 헤매기』(단편 소설집, 오태영 옮김)
『욤보르와 미키의 모험』(동화책, 장정렬 옮김)

- 한글본
『상어와 함께 춤을 추는 철새』(단편소설집)
『바다별에서 꿈의 사냥꾼을 만나다』(단편집)
『바다별』(단편소설집, 오태영 옮김)
『꿈의 사냥꾼』(단편소설집, 오태영 옮김)

클로드 피롱의 에스페란토 원작 소설
- 에한대역본
『게르다가 사라졌다』(추리소설, 오태영 옮김)
『백작 부인의 납치』(추리소설, 오태영 옮김)

장정렬 번역가의 에스페란토 번역서
- 에한대역본
『파드마, 갠지스 강가의 어린 무용수』(Tibor Sekelj)
『테무친 대초원의 아들』(Tibor Sekelj 지음)
『대통령의 방문』(예지 자비에이스키 지음)
『국제어 에스페란토』(D-ro Esperanto 지음, 이영구.
장정렬 공역, 진달래 출판사, 2021년)
『황금 화살』(ELEK BENEDEK 지음)
『알기쉽도록〈육조단경〉에스페란토-한글풀이로 읽다』
(혜능 지음, 왕숭방 에스페란토 옮김, 장정렬 에스페란
토에서 옮김)
『침실에서 들려주는 이야기』(Antoaneta Klobučar 지
음, Davor Klobučar 에스페란토 역)
『공포의 삼 남매』(Antoaneta Klobuĉar 지음, Davor
Klobuĉar 에스페란토 역)
『우리 할머니의 동화』(Hasan Jakub Hasan 지음)
『얌부르그에는 총성이 울리지 않는다』,

『청년운동의 전설』(Mikaelo Brostejn 지음)

『푸른 가슴에 희망을』(Julio Baghy 지음)

『반려 고양이 플로로』(크리스티나 코즈로브스카 지음, 페트로 팔리보다 에스페란토 옮김)

『민영화도시 고블린스크』(Mikaelo Brostejn 지음)

『마술사』(크리스티나 코즈로브스카 지음, 페트로 팔리보다 에스페란토 옮김)

『세계인과 함께 읽는 님의 침묵』(한용운 지음)

『세계인과 함께 읽는 윤동주시집』(윤동주 지음)

- 한글본

『사랑과 죽음의 마지막 다리에 선 유럽 배우 틸라』,

『상징주의 화가 호들러의 삶을 뒤쫓아』,

『크로아티아 전쟁체험기』(Spomenka Ŝtimec 지음)

『희생자』(Julio Baghy 지음)

『피어린 땅에서』(Julio Baghy 지음)

『무엇때문에』(Friedrich Wilhelm ELLERSIE 지음)

『밤은 천천히 흐른다』(이스트반 네메레 지음)

『메타 스텔라에서 테라를 찾아 항해하다』,

『살모사들의 둥지』(이스트반 네메레 지음)

『파드마, 갠지스 강의 무용수』(Tibor Sekelj 지음)

『대초원의 황제 테무친』(Tibor Sekelj 지음)

이낙기 번역가의 에스페란토 번역서
- 에한대역본

『오가이 단편선집』(모리 오가이 지음, 데루오 미카미 외 3인 에스페란토 옮김)

『체르노빌1, 2』(유리 셰르바크 지음)

기타 에스페란토 관련 책(에한대역본)
『에스페란토 직독직해 어린 왕자』(생 텍쥐페리 지음,
피에르 들레르 에스페란토 옮김, 오태영 옮김)
『에스페란토와 함께 읽는 이방인』(알베르 카뮈 지음,
미셸 뒤 고니나즈 에스페란토 옮김, 오태영 옮김)
『자멘호프 연설문집』(자멘호프 지음, 이현희 옮김)
『에스페란토와 함께 읽는 논어』(공자 지음, 왕숭방 에
스페란토 옮김, 오태영 에스페란토에서 옮김)
『우리 주 예수의 삶』(찰스 디킨스 지음, 몬태규 버틀러
에스페란토 옮김, 오태영 에스페란토에서 옮김)
『진실의 힘』(아디 지음, 오태영 옮김)

- 한글본
『안서 김억과 함께하는 에스페란토 수업』(오태영 지음)
『에스페란토의 아버지 자멘호프』(이토 사부로, 장인자)
『사는 것은 위험하다』(이스트반 네메레 지음, 박미홍)
『자멘호프의 삶』(에드몽 쁘리바 지음, 정종휴 옮김)
『자멘호프 에스페란토의 창안자』(마조리 볼튼, 정원조)

- 에스페란토본
『Pro kio』(Friedrich Wilhelm ELLERSIE 지음)
『Enteru sopirantan kanton al la koro』(오태영)
『Kumeŭaŭa, la filo de la ĝangalo』(Tibor Sekelj)

- 박기완 박사가 번역하고 해설한 에스페란토의 고전
『처음 에스페란토』(루도비코 라자로 자멘호프 지음)
『에스페란토 규범』(루도비코 라자로 자멘호프 지음)
『에스페란토 문답집』(루도비코 라자로 자멘호프 지음)